KOMEDIA

2

C. F. GELLERT / DIE BETSCHWESTER

KOMEDIA

DEUTSCHE LUSTSPIELE

VOM BAROCK BIS ZUR GEGENWART

Texte und Materialien zur Interpretation

Herausgegeben von

HELMUT ARNTZEN und KARL PESTALOZZI

2

1962

WALTER DE GRUYTER & CO. / BERLIN
VORMALS G. J. GÖSCHEN'SCHE VERLAGSHANDLUNG · J. GUTTENTAG
VERLAGSBUCHHANDLUNG · GEORG REIMER · KARL J. TRÜBNER
VEIT & COMP

CHRISTIAN FÜRCHTEGOTT GELLERT

DIE BETSCHWESTER

Lustspiel in drei Aufzügen

Text und Materialien zur Interpretation

besorgt von

WOLFGANG MARTENS

1962

WALTER DE GRUYTER & CO. / BERLIN

VORMALS G. J. GÖSCHEN'SCHE VERLAGSHANDLUNG · J. GUTTENTAG
VERLAGSBUCHHANDLUNG · GEORG REIMER · KARL J. TRÜBNER
VEIT & COMP

PT
1883
.B4

Archiv-Nr. 3609622

© 1962 by Walter de Gruyter & Co., vormals G. J. Göschen'sche Verlagshandlung
J. Guttentag, Verlagsbuchhandlung - Georg Reimer - Karl J. Trübner - Veit & Comp.,
Berlin W 30, Genthiner Str. 13.
Printed in Germany.
Alle Rechte der Übersetzung, des Nachdruckes, der Anfertigung von Photokopien und Mikro-
filmen, auch auszugsweise, vorbehalten.
Satz und Druck: Walter de Gruyter & Co., Berlin W 30

S. H. Grill. pin.   C. G. sc.

Die Betschwester.

ERSTER AUFZUG

Erster Auftritt.

JUNGFER LORCHEN. HERR FERDINAND.

LORCHEN. Was ich Ihnen sage. Sie können die Frau Muhme itzt nicht sprechen. Sie hat ihre Andacht. Und ich wollte nicht viel nehmen, und sie stören.

FERDINAND. Mein Gott! die gute Frau muß ja den ganzen Tag beten. Ich mag kommen, wenn ich will, so hat sie ihre Andacht. Heute Vormittage wollte ich zu ihr, da war Betstunde. Nun komme ich nach Tische, so hat sie wieder ihre Betstunde.

LORCHEN. Es ist nicht anders. Ihr Leben ist ein beständiges Gebet.

FERDINAND. Das Beten ist ein wichtiges Stück der Religion. Allein es giebt ja noch andere Pflichten, die eben so nöthig und eben so heilig sind. Sie wird doch nicht Tag und Nacht beten, das will ich nicht hoffen.

LORCHEN. Nein! Sie wechselt ab. Wenn sie nicht beten will; so singt sie. Und wenn sie nicht mehr Lust zum Singen hat; so betet sie. Und wenn sie weder beten, noch singen will; so redet sie doch vom Beten und Singen.

FERDINAND. Nun das muß ich bekennen. Ich habe mir wohl sagen lassen, daß meine Frau Muhme sehr fromm ist. Ich habe es auch geglaubt. Allein ihr stetes Beten und Singen bringt mich fast auf die Gedanken, daß sie nicht fromm ist, sondern nur fromm scheinen will. Sie möchte sich immer ein Gebet machen lassen, um des Abends die Sünde zu verbeten, die sie den Tag über mit Beten und Singen begeht. Stets beten, heißt nicht beten, und den ganzen Tag beten, ist so strafbar, als den ganzen Tag schlafen.

LORCHEN. Mein lieber Herr Ferdinand, lassen Sie doch Ihren Eifer nicht an mir aus. Sie kennen mich ja wohl, da ich ehemals die Ehre gehabt, einige Zeit in Ihrem Hause zu leben. Es ist niemand weniger mit der Andacht der Frau Muhme zufrieden, als ich. Sie betet uns oft um das Mittagessen, und nie ist sie andächtiger, als um die Stunde, da die Köchinn das Marktgeld holen will. Sie hat ihr schon aus frommem Eifer zweymal das Gebetbuch an den

Kopf geworfen, weil sie so unverschämt gewesen ist und sie im Singen gestört hat.

FERDINAND. Ich lerne meine Frau Muhme immer besser kennen. Es würde ein sehr mittelmäßiges Glück für Herr Simonen seyn, wenn er mit seiner künftigen Frau Schwieger Mutter in einem Hause wohnen sollte. Sie würde ihn entweder bald aus dem Hause, oder bald ins Grab beten. Überhaupt geht sie mit ihm und mit mir sehr wunderbar um. Sie hat verlangt, daß wir zu ihr kommen und das Jawort wegen der Heyrath mit ihrer Jungfer Tochter abholen sollen. Wir sind von Berlin hieher gereiset. Wir sind schon vier Tage hier. Und alle Tage hat sich ein Hinderniß finden müssen, dem Herrn Simon das versprochene Ja zu ertheilen. Morgen müssen wir wieder fort. Und der heutige Tag ist endlich zu der Versprechung angesetzt. Gleichwohl sehe ich noch wenig Anstalt dazu.

LORCHEN. Gedulden Sie sich nur bis um vier Uhr, wenn ich bitten darf. Eher nimmt die Frau Richardinn keinen Besuch an. Und ehe sie sich in ihrer Nachmittagsandacht stören läßt, eher läßt sie Herr Simonen und zehn andere Freyer wieder fortreisen.

FERDINAND. Ich weis wohl, daß wir erst um vier Uhr her bestellt sind. Allein ich habe noch verschiedenes wegen der Aussteuer mit meiner Frau Muhme auszumachen, und solche Sachen muß man vor dem Jaworte in Richtigkeit bringen. Haben Sie also die Güte, und lassen Sie mich melden.

LORCHEN. Das kann ich nicht wagen. Die Andacht geht bey ihr über alles. Sie setzt uns beide in die Ketzerhistorie, wenn wir sie stören. Sie zweifelt ohnedem sehr an der Aufrichtigkeit meiner Tugend, weil ich so eitel bin, und zuweilen in dem Zuschauer, oder sonst in einem weltlichen Buche, wie sie zu reden pflegt, lese.

FERDINAND. So wollen Sie mich nicht melden lassen?

LORCHEN. So bald es viere schlägt; so will ich Sie melden. Denn eben diese Stunde hat sie zu weltlichen Geschäften und also auch zu dem Jaworte ausgesetzt. Doch um fünf oder längstens um sechs Uhr muß alles gethan seyn. Länger hält sie sich nicht auf. Denn nachdem kommen zwo von ihren Clientinnen in der Andacht zu ihr, die sie mit erbaulichen Neuigkeiten unterhalten.

FERDINAND. Also wird sie uns wohl nicht zu Tische behalten?

LORCHEN. Ich zweifle sehr daran. Sie hält gar nicht viel auf das Essen. Fasten und Beten ist ihr Gesetz und ihr Vergnügen. Und wenn sie etwas in der Religion zu befehlen hätte; so würde sie alle Fest- Sonn- und Apostel-Tage zu Fasttagen machen, so sehr liebt sie die Enthaltung vom Essen und Trinken.

FERDINAND. Wie ich merke, so mag ihr diese Tugend sehr natürlich seyn. Meine Frau Muhme wird vielleicht das Fasten lieben, weil sie geizig ist.

LORCHEN. Das will ich eben nicht sagen. Wer ihr aber vorwirft, daß sie das ihrige nicht zu Rathe hält, der kann diese Verläumdung in Ewigkeit nicht verbeten.

FERDINAND. Reden Sie nicht so durch Umschweife mit mir, mein liebes Jungfer Lorchen; sondern thun Sie, als wenn die Frau Richardinn meine Frau Muhme nicht wäre. Sie leben schon ein Jahr in ihrem Hause; und Sie müssen mir die beste Beschreibung von ihr machen können. Ich habe die gute Frau vor drey Tagen in meinem Leben zum erstenmale gesehen. Und ich hoffe, daß mir der Abschied von ihr nicht sauer werden soll. Machen Sie mir doch einen kleinen Character von ihr. Denn, wie ich glaube, so mag es mit ihrer grossen Frömmigkeit eben nicht so richtig seyn, als mir die Leute gesagt haben.

LORCHEN. Wer die Tugend in den Mienen und auf den Lippen zu suchen gewohnt ist, der kann der Frau Richardinn ihren Ruhm unmöglich absprechen. Alles ist fromm an ihr; ihre Mienen, ihre Sprache, ihr Gang, ihre Kleidung! Kurz, alles stimmt an ihr mit der Andacht überein. Sie ist eine Feindinn aller Eitelkeit, und sie hält mit der größten Demuth an den ehrbaren Sitten ihrer Vorfahren.

FERDINAND. Das Letzte höre ich gern. Ich bin ein grosser Freund von den unschuldigen Sitten unserer Vorältern. Und wenn meine Frau Muhme nur ein gutes Herz hat; so will ich ihr die Unrichtigkeit in ihren Meynungen gern übersehen.

LORCHEN. Geben Sie nur recht Achtung auf sie. Sie werden die Sitten ihrer Großgroßältern noch unversehrt an ihr finden. Alle Schnitte von Kleidern und Hauben, wie sie vor funfzig Jahren gebräuchlich gewesen sind, behält sie standhaft bey. Und ehe sie den kleinen Fischbeinrock, den langen Pelz und die niedrigen Absätze fahren liesse; ehe bestätigte sie die Unschuld dieser Sitten mit ihrem Tode.

FERDINAND. Sind dieses die frommen Sitten der Alten? Dieß sind ja ihre Moden.

LORCHEN. Die Frau Richardinn weis es besser. Wer sich trägt, wie die Alten giengen, der ist ehrbar und sittsam. Und wer zehn oder zwölf Jahre in einem Kleide gehen kann, der ist demüthig und sanftmüthig.

FERDINAND. Das ist eine treffliche Moral! Meine Frau Muhme sollte ein ganzes Buch von den Kennzeichen der Tugenden schreiben. Ich glaube, sie spräche allen Leuten den Himmel ab, die ihre Kleider dem Willen der Mode und der Schneider überlassen. Sagen Sie mir nur, was sie den ganzen Tag macht?

LORCHEN. Dieses kann ich Ihnen leicht sagen. Allein Sie werden allezeit denken, ich erzählte Ihnen eine Fabel. Gegen acht Uhr steht sie auf. Und so bald sie den Fuß in den Pantoffel setzt; so fängt sie auch an, zu singen. Singend nun kämmt sie zuerst den Mops. Singend versorget sie ihre Katze. Singend füttert sie den Canarienvogel. Singend besucht sie ihre beiden brabantischen Hühner. Und so bald es neune schlägt; so hört sie auf zu singen, wenn es auch mitten in dem Gesätze eines Liedes wäre.

FERDINAND. Warum denn das?

LORCHEN. Es ist ihre Ordnung so. Sie will stundenweise, und nicht anders, singen und beten. So bald es also neune schlägt, so läuft sie, was sie kann, damit sie, ehe es ganz ausschlägt, schon an ihrem Gebettische sitzt.

FERDINAND. Der Himmel nähme es gewiß nicht übel, wenn sie auch erst nach dem Schlage käme. Sie kann wohl nie spät genug kommen.

LORCHEN. Von neun bis zehn Uhr liest sie erst drey Morgenseegen.

FERDINAND. Warum denn drey, und nicht mehr, oder weniger?

LORCHEN. Weil sie drey verschiedene Gebetbücher hat, die ihr alle drey gleich lieb, und die auch alle drey mit Silber beschlagen sind. Eins hat sie von ihrer seeligen Frau Pathe, zum Geschenke; eins von ihrem seeligen Manne, vor vierzig Jahren, zum Mahlschatze, und das dritte aus dem väterlichen Erbe bekommen. Dieses letzte ist, wie sie erzählt, in drey Häusern mit abgebrannt und doch keinmal verbrannt. Die Schaalen sind zwar etwas versehrt worden; allein dem Drucke hat das Feuer mit aller seiner Macht nichts anhaben können.

FERDINAND. Der Buchbinder muß gewiß nicht so fromm, als der Buchdrucker, gewesen seyn, weil der Band nicht im Feuer ausgehalten hat.

LORCHEN. Um des Himmels willen! Ich höre jemanden oben auf dem Saale reden. Wenn es viere geschlagen hat: so ists gewiß die

Frau Muhme. Ich muß gehen. Denn wenn sie mich mit Ihnen allein sähe: So würde sie nicht viel gutes von uns denken.

Zweyter Auftritt.

FRAU RICHARDINN. HERR FERDINAND.

FRAU RICHARDINN. Sind Sie schon da, Herr Vetter? Das ist mir lieb.

FERDINAND. Ja, liebe Frau Muhme, ich habe mit Fleiß geeilt, Ihnen meine Aufwartung zu machen, weil wir ohnedem vor der Versprechung noch eins und das andere wegen des Brautschatzes zu reden haben. Diesen Punkt wollen wir unmaßgeblich gleich in Richtigkeit bringen.

FRAU RICHARDINN. Ach! Lieber Herr Vetter, wenn ich nur auch heute zu einer Sache geschickt wäre, die so viele Überlegung erfordert. Ich muß meine Umstände wohl in Erwägung ziehen. Ich bin gar nicht so reich, als mich die Leute ausschreyen. Ich muß erst sehen, was ich entbehren kann. Und gleichwohl bin ich heute so unruhig, daß ich meine Umstände schwerlich mit Bedacht werde übersehen können. Wie viel Sorge und Noth macht einem nicht die Welt! Das gottlose Volk kömmt gar, und stört einen im Beten, in der größten Andacht; da soll man nicht unwillig, nicht betrübt in seiner Seele werden!

FERDINAND. Ja, ja, die Welt ist böse. Aber, liebe Frau Muhme, wir müssen morgen unumgänglich wieder fort, das ist Ihnen bekannt. Sie haben uns drey Tage nach einander auf den heutigen Tag vertröstet. Und Herr Simon würde zu bedauern seyn, wenn er eine so weite und kostbare Reise hätte umsonst thun sollen.

FRAU RICHARDINN. Nein, nein, das nicht! Aber, bedenken Sie nur, Herr Vetter, ob man nicht alle Gelassenheit verlieren muß? Ich lese gleich in der Bibel; so kömmt ein Bettler, und klopft ordentlich an meinen Vorsaal an, und stört mich in der größten Andacht.

FERDINAND. Es ist nicht recht. Doch der arme Mann wird nicht gewußt haben, daß Sie in der Bibel lesen.

FRAU RICHARDINN. Ich lese ja laut, recht laut, damit ich alle Leute in meinem Hause durch meine Erbauung erbaue. Hätte er das nicht hören können? Der gottlose Bettler! Ein noch so junger Mensch schämt sich nicht zu betteln. Die Ruchlosigkeit war recht

in seinem Körper abgezeichnet. Warum kann er denn nicht arbeiten, wenn er nichts zu leben hat? Ein Hochedler Rath sollte
doch auch das Bettlermandat — — — Ich mag nicht reden. Ich
habe mich geärgert, daß ich zittre.

FERDINAND. Ich bedaure Sie, Frau Muhme. Aber Sie thun sich
durch Ihren Zorn Schaden. Gedenken Sie nicht mehr daran. Wir
wollen zur Sache kommen, und die Mitgift — — —

FRAU RICHARDINN. Man möchte für Ärgerniß des Todes seyn. Es
ist kein Zorn. Ich eifere nur über die Bosheit des Bettlers, der aus
Faulheit, aus Wollust müssig geht, und andere Leute in der Andacht stört, und sie um ihren Nährpfennig bringen will. Eine
Hand ohne Finger! Mein Gott! Es war ja nur die linke. Kann er
denn nicht mit der rechten arbeiten? Diese war ja so gesund, als
die meinige. Ich will nicht richten; aber wer weis, warum ihn
Gott so gezeichnet hat. An dem rechten Fusse war er auch lahm.
Die Ruchlosigkeit und ein krüpplichter Körper sind immer beysammen. Vergebe mirs Gott! Ich will gerne gelogen haben.

FERDINAND. Liebe Frau Muhme, urtheilen Sie nicht so strenge.
Vielleicht hat dieser Unglückseelige ein gutes Herz gehabt. Und
wie Sie mir ihn beschrieben haben; so kann er wohl schwerlich
arbeiten.

FRAU RICHARDINN. So? Wenn er auch nicht arbeiten kann, soll er
mich denn in der Andacht stören? Soll ich meine Gedanken von
himmlischen, von geistlichen, von überirrdischen Dingen ab-
ziehen, und sie auf einen irrdischen Menschen, auf einen Krüppel,
einen elenden Wurm richten? Denn was sind wir Menschen denn
anders? Würmer, arme boshafte Würmer sind wir.

FERDINAND. Ja, ja. Aber das Gebot, zu beten, schließt das Gebot
der Liebe und des Mitleidens nicht aus.

FRAU RICHARDINN. Nein, bete und arbeite! Dieses sollen alle
Menschen thun. Niemand soll dem lieben Gott die Tage ab-
stehlen, noch andern ehrlichen Leuten durch sein unverschämtes
Betteln das Leben und die Erhaltung ihres Hauses sauer machen.
Der gottlose Mensch!

FERDINAND. Doch wir sollen ja wohl thun. Wir sollen andern bey-
stehen, und das Weh und die Anzahl der Elenden zu verringern
suchen. Und ich dächte, ein Werk der Liebe wäre so angenehm
bey dem Himmel, als die Andacht. Ja ich weis nicht anders, als
daß Liebe und Mitleiden nothwendige Folgen der Andacht und
der Erhebung unsers Geistes zu Gott und zu unsern Pflichten

sind. Die Armen sind doch eben sowohl nöthig auf der Welt, als die Reichen.

FRAU RICHARDINN. Alles gut! Alles wahr! Man muß geben. Man muß förderlich und dienstlich seyn. Aber man muß erst an die Seinigen, an sein Haus, an sich und seine arme Kinder denken. Wissen Sie, wer ärger, als ein Heide, ist? Wer seine Kinder nicht versorgt; wer das Seinige wegwirft. Eben durch die Gutheit macht man nur mehr Bettler, denn man wird endlich darüber selbst zum Bettler. Obrigkeitliche Personen sollten allemal darauf sehen, daß dem heillosen Bettelwesen gesteuret würde.

FERDINAND. Ja doch, Frau Muhme. Sie thun es auch. Aber es giebt ja Leute, die weder Kräfte noch Glieder zur Arbeit haben; oder die durch Unglücksfälle, oder durch andrer Leute Geiz und Bosheit um das ihrige gekommen sind. Sollen denn diese verhungern, und aus Sorge, uns durch ihr Bitten um einen Dreyer zu bringen, lieber weinen, als essen? Doch wir wollen keine theologischen Untersuchungen anstellen. Sie werden die Pflichten der Religion und der Menschenliebe, ohne mich, wissen. Lassen Sie uns nun zu den Heyrathspunkten schreiten. Denn Herr Simon wird gleich da seyn, und um Dero versprochene Einwilligung nochmals gehorsamst bitten.

FRAU RICHARDINN. Ja! Es ist ein ganz feiner Mensch. Ich habe nichts an ihm auszusetzen. Wenn mich nur der Bösewicht, der Bettler, nicht so geärgert hätte: so könnte ich doch etwan überlegen, wie viel ich, ohne zu darben, meiner Tochter mitgeben könnte. Da kömmt Lorchen. Es wird gewiß wieder etwas geben.

Dritter Auftritt.

DIE VORIGEN. LORCHEN.

LORCHEN *zur Frau Richardinn.* Sie sollen so gütig seyn und einen Augenblick herauskommen. Die Frau Nachbarin will gerne ein Wort mit Ihnen sprechen.

FRAU RICHARDINN. Nehmen Sie es nicht übel, Herr Vetter, daß ich Sie auf kurze Zeit verlassen muß. Es ist eine Priesterwittwe, der ich einen Liebesdienst erweisen soll. Lorchen bleiben Sie doch indessen bey dem Herrn Vetter, daß ihm die Zeit nicht lang wird.
Sie geht ab.

Vierter Auftritt.

LORCHEN. FERDINAND.

LORCHEN. Wissen Sie wohl, worinn der Liebesdienst besteht, den sie der Priesterwittwe erzeigt? Es ist eine rechtschaffene Frau, die keinen Fehler hat, als, daß sie blutarm ist. Sie hat eine goldene Kette, als ihren ganzen Reichthum, bei der Frau Richardinn für sechzehn Thaler versetzt, und muß ihr alle Wochen für den Thaler einen Pfennig Zinse geben. In dieser Angelegenheit, nämlich ihre Zinsen abzutragen, kömmt sie alle vierzehn Tage her. Denn länger sieht ihr die Frau Muhme nicht nach.

FERDINAND. Das Gott erbarm! Meine Frau Muhme soll ein Capital von dreyßigtausend Thalern haben, und sie nimmt von so einer armen Frau wöchentlich für sechzehn Thaler sechzehn Pfennige Zinse? Und sie untersteht sich noch zu beten, oder mit dem lieben Gott zu reden?

LORCHEN. Ich glaube auch, daß sie durch ihr vieles Beten sich blos den Himmel zum Freunde machen will, damit er ihr erlauben soll, nach ihrem Gefallen zu handeln. Soll ich Ihnen etwan weiter erzählen, wie sie den Tag zubringt?

FERDINAND. Ich bitte Sie von Herzen; sagen Sie mir ja nichts mehr. Ich kenne nun meine Frau Muhme völlig, und ich wollte die Ehre, mit einer so heiligen Frau verwandt zu seyn, gerne frömmern Leuten überlassen, als ich bin. Wenn es viele solche andächtige Weiber hier zu Lande giebt: so sollte man erlauben, daß man, der Andacht wegen, auf die Ehescheidung dringen dürfte.

LORCHEN. Ich will es ganz kurz machen. Wir blieben bey den drey Morgenseegen stehen. Wenn diese vorbey sind; so liest sie aus den andern Büchern noch drey Gebete, erstlich eins wider die Unkeuschheit und — — —

FERDINAND. Meine Frau Muhme muß ja wohl nahe an sechzig Jahre seyn.

LORCHEN. Dieses hat nichts zu bedeuten. Ein Gebet also wider die Unkeuschheit, eins wider die Verschwendung und — — —

FERDINAND. Eine Frau, die einem Manne, der an Hand und Fuß lahm ist, nicht einen Dreyer zu geben, sich entschliessen kann, betet, daß sie Gott vor der Verschwendung verwahren soll?

LORCHEN. Lassen Sie mich doch ausreden. Eins wider die Verschwendung, und eins, daß sie Gott nicht in der Hälfte ihrer Tage wegnehmen soll. Und diese Gebete floriren Jahr aus, Jahr ein, bey ihr. Und in dieser Andacht darf sie kein Mensch, keine lebendige Seele stören, ausser ihr Mops, der hat die Freyheit, auf ihrem Tische und auf den Gebetbüchern herum zu spazieren.

FERDINAND. Hat sie nicht etwan auch die Katze bey sich liegen?

LORCHEN. Ja wohl. Die Katze hätte ich bald vergessen. Diese kömmt nicht von ihrer Seite. Und die Frau Muhme bleibt beständig dabey, daß das Thier Menschenverstand hätte, weil es ihr im Beten so aufmerksam zuhörte.

FERDINAND. Vielleicht ist es auch die Katze allein, die sie durch ihre Andacht erbaut, und betrügt.

LORCHEN. Mit dem Schlage zehen springt sie von ihrem Betstuhle auf, und tritt an den Silberschrank, und fängt an, aus allen Kräften zu singen. Sie zählt ihr Silberwerk, ihr Geschmeide, und ihre Pfänder durch. So bald sie die geringste Unrichtigkeit findet: so hält sie inne mit Singen, und zählt, und ziffert mit der Kreide an die Schrankthüre. Ist die Sache richtig: so geht ihr holdseliges Singen wieder fort. Nun schlägt es eilfe, da nimmt sie einen eisernen Kasten und verschließt sich in ihre Schlafkammer und —— ——

FERDINAND. Ich höre es schon. Sie wird zählen und dem Himmel ihre Sparsamkeit anpreisen. In Wahrheit, man sollte wünschen, daß die Frau um die Hälfte ihres Vermögens käme, damit sie vernünftig und christlich würde. Es ist ihr größtes Unglück, daß sie reich ist.

LORCHEN. So klingt der Frau Muhme ihre Theologie nicht. Alles was sie hat, ist ein Seegen des Herrn. Und aller dieser Seegen ist die sichtbare Belohnung ihrer Frömmigkeit, das ist, ihres Betens und Singens.

FERDINAND. Also ist sie wohl so andächtig, damit der Himmel wieder erkänntlich seyn, und sie noch reicher machen soll?

LORCHEN. Ja wohl. Eben deswegen singt und betet sie alle Stunden, weil sie alle Stunden reicher werden will. Ihre Andacht ist eigentlich ein Vertrag, den sie mit dem lieben Gott in ihren Gedanken gemacht hat, kraft dessen er ihre Capitalia vermehren, ihre Interessen seegnen, und ihr Haus wohl in Acht nehmen soll. Dafür will sie ihm den Dienst erweisen, und alle Tage so viel Stunden beten, so viel Stunden singen, und so viel Capitel in der Bibel lesen.

FERDINAND. Ein solcher Vertrag ist auch recht vernünftig. Auf diese Art weis man doch, worauf man sich zu verlassen hat, und warum man so andächtig ist. Wir einfältigen Leute sehen die

Andacht für ein Mittel an, das uns in der Tugend stärken soll.
Allein meine Frau Muhme kennt die Religion besser. Was ist es
denn mit der Tugend und mit der Gemüthsruhe? Wer kann davon
leben? Am besten, wenn man durch seine Andacht die Hand der
Vorsicht öffnen kann, daß sie uns Schätze zuwirft.

LORCHEN. Ich wollte auch nicht dafür stehen, daß die Frau Mariane
nicht des Tages drey bis vier Stunden von ihrer Hausandacht
eingehen lassen sollte, wenn ihr das kleinste Capital verlohren
gienge. Ich höre sie schon reden. Wenn sie wüste, daß wir von
ihrer Andacht sprächen, sie schenkte uns doch ein Gebetbuch.

Fünfter Auftritt.

FRAU RICHARDINN. DIE VORIGEN.

FRAU RICHARDINN. Die ehrliche Frau ist in grosser Noth. Sie hat
fünf unerzogene Kinder und in keiner Hand nichts, als Armuth.
Ich weis nicht, wie die Leute denken. Nichts zu haben, und doch
so viel Kinder — — —. Ich mag nicht reden. So geht es, wenn
man nicht nachsinnt. Wir haben ja unsern freyen Willen. Ich rede
von niemanden etwas böses; aber die Geistlichen sind doch
selten reich, und haben immer so viel Kinder. Und sie sollten
doch am meisten beten und singen. Und das Gebet verläßt niemanden. Wer an Gott denkt, an den denkt er wieder, und giebt
ihm gutes, und die Fülle. Ich will nicht richten. Lorchen, gehen
Sie doch, und lassen Sie einen Caffee zurechte machen, damit ich
dem Herrn Vetter und Herrn Simonen etwas vorsetzen kann.

Sechster Auftritt.

FRAU RICHARDINN. FERDINAND.

FRAU RICHARDINN. Ich bin erschrocken, Herr Vetter, recht sehr
erschrocken. Weil ich vorhin mit der Frau Nachbarinn auf dem
Saale rede: So fällt etwas in meiner Küche. Ich laufe geschwind
hinein, da liegt der Suppennapf auf der Erde, aus dem mein
seeliger Herr alle Morgen seine Suppe aß, denn er war gar nicht
nach der Welt. Er trank weder Thee, noch Caffee. Suppe, blosse
Wassersuppe, ohne Ey, und nur mit einem Stückchen Butter,
einer Erbse groß, gemacht, solche Suppe war sein Leben. Und eben

---

diese zinnerne Suppenschüssel war herunter gefallen, und es war kein Mensch in der Küche. Ach lieber Gott, was wird dieses Anzeichen bedeuten! Wen wird die Reihe in unserm Hause treffen, mich oder meine Tochter? Ach gütiger Gott, alles nach deinem heiligen Willen, nur nicht in der Hälfte meiner Tage, nur dieß nicht.

FERDINAND. Frau Muhme, wer wird so abergläubisch seyn? Die Schüssel ist herunter gefallen, weil sie nicht recht gestellt gewesen ist. Wer weis, wer über der Küche handthieret, oder gepocht hat? Machen Sie sich keine Sorge. Das Anzeichen mag über mich gehen, wenn es etwas zu bedeuten hat. Lassen Sie uns itzt wegen des Heyrathsvergleichs richtig werden, so ist alles gut.

FRAU RICHARDINN. Ach lieber Gott! Nun höre ichs. Sie glauben auch nichts. Sie halten alles für natürlich. Sie statuiren keine Anzeichen, keine Wunder. Lieber Herr Vetter, sprechen Sie doch zu meiner Ruhe und zur Ehre der Wahrheit, daß es Anzeichen giebt, wenn Sie es auch im Herzen nicht glauben. Ich wollte Ihnen tausend Beweise aufstellen, wenn ich Sie damit überzeugen könnte.

FERDINAND. Wunder glaube ich. Was aber die Anzeichen anlangt, die in der Küche und in den Kammern vorgehen; so sage ich Ihnen frey heraus, daß sie bey mir eben so viel bedeuten, als wenn mir mein Stock aus der Hand fällt. Doch davon wollen wir itzt nicht reden. Was sind Sie denn gesonnen, der Jungfer Tochter mit zu geben? Und wenn soll Herr Simon seine Braut abholen?

FRAU RICHARDINN. Sie erschrecken mich durch Ihren Unglauben fast eben so sehr, als ich über das Anzeichen mit der Schüssel erschrocken bin. Sagen Sie mir um des Himmels willen, glauben Sie denn auch nichts von dem Todtenschmiede, von dem Wurme, der in den Fensterrähmen, oder in den Wänden oft ganze Tage pocht und hämmert, wenn eines sterben soll? Da mein seeliger Mann aus der Zeitlichkeit in das Ewige versetzt werden sollte: So hat er sich drey Tage zuvor hören lassen. Soll dieses nichts bedeuten? Daß wir doch unsern Augen und Ohren nicht trauen wollen!

FERDINAND. Ich will dem Todtenschmiede seine Rechte nicht nehmen, er möchte mich sonst einige Stunden früher ins Grab pochen. Sie sollen Recht haben, Frau Muhme. Lasse Sie mich nur in dem ruhigen Besitze meiner Irrthümer, und erklären Sie sich, was Ihre Jungfer Tochter zur Aussteuer bekommen, und ob es noch bey den zehn tausend Thalern an baarem Gelde bleiben soll?

FRAU RICHARDINN. Ich arme Frau! Ich verlaßne Wittwe! Wo kämen
ich und so vieles Geld zusammen? Bey meinen Lebzeiten wird
meine Tochter nicht viel kriegen, und nach meinem Tode bleibt
ihr mein bischen Armuth gewiß. Ich denke, es wird so nicht
mehr lange mit mir werden. *Sie weint.* Das Anzeichen mit der
Schüssel meines seeligen Herrn — — —

FERDINAND. Wie können Sie sich doch ohne Noth traurig machen?
Der Tod ist alle Tage nah, und er braucht nicht erst die Schüssel
herunter zu werfen, oder an den Fensterladen, oder an die Stuben-
thüre zu klopfen, wenn er kommen will. Wir müssen den Tod
weder fürchten, noch wünschen. Seyn Sie heute gutes Muths,
damit wir bald zur Richtigkeit kommen.

FRAU RICHARDINN. Lieber Gott, daß doch alle Mannspersonen
nichts glauben wollen! So war mein seeliger Mann nicht. Er
nahm nichts auf die leichte Achsel. Er hat wohl zwanzig Jahr
vor seinem Tode gesagt, daß er sterben würde. Ich besinne mich
noch, als wenn es heute wäre. Er hatte einige Jahre vor seinem
Ende Zahnschmerzen, und eben zu der Zeit fieng eine von unsern
Hühnern erbärmlich an zu schreyen, und schrie drey Tage nach
einander, wir mochten mit ihr machen, was wir wollten. Mein
Kind, fieng endlich der seelige Mann zu mir an, die Henne schreyt
nichts gutes heraus, es mag nun bedeuten, was es will, laß sie in
Gottes Namen abwürgen.

FERDINAND. Hätten Sie nur bey dem Abwürgen darnach sehen
lassen. Es wird ihr gewiß etwas im Leibe gefehlt haben.

FRAU RICHARDINN. Nein, es war alles gut im Leibe. Sie legte
meistens über den andern Tag. Und ich hätte lieber geweint, da
ich sie sollte abwürgen lassen. Mein seeliger Mann besah sie selbst,
und wir fanden nicht das geringste, ausser daß ihr die Krallen an
den Füßen zusammengezogen waren.

FERDINAND. So hat sie den Krampf gehabt, und deswegen hat sie
geschrien. Doch, liebe Frau Muhme, wenn wir von nichts als
dem Bettler, von der Schüssel, von dem Todtenschmiede, von
der Henne und von dem seeligen Herrn Liebsten reden wollen:
So kommen wir nimmermehr zu Stande, und Herr Simon und
ich müssen auf diese Art Morgen unverrichteter Sachen wieder
fortreisen.

FRAU RICHARDINN. Ach denken Sie mir doch nicht weiter an den
Bettler. Der ruchlose Bube hat mich im Bibellesen gestört. Nunmehr wird meine geistliche Übungsstunde bald kommen. Ist es
etwan schon um sechs Uhr? Das will ich nicht hoffen.

FERDINAND. Nein, es hat kaum fünfe geschlagen. Wenn Sie nun auch diese Stunde einmal auf eine andre Zeit verlegten, dieses würde doch wohl — — —

FRAU RICHARDINN. Wie! Herr Vetter! Ich sollte von meiner Regel abweichen, und, irrdischen Dingen zu Gefallen, den lieben Gott und die Andacht hindansetzen! In unsern Verrichtungen soll alles ordentlich zugehen, und in der Gottseeligkeit, im Singen und Beten, nicht?

FERDINAND. Ach ja! Aber der Seiger muß nicht unser Bußwecker seyn. Wir müssen uns in der Andacht üben, nicht, wenn es schlägt, sondern wenn wir uns geschickt fühlen, unsere Gedanken von dem Irrdischen abzuziehen, und sie mit geistlichen Dingen und der Prüfung unsers Herzens und Wandels, zu erfüllen.

FRAU RICHARDINN. Ich bin hierzu alle Stunden geschickt, und wer nur Lust zu beten hat, der kann allezeit beten.

FERDINAND. Ja! Gebete aus den Büchern; Formulare, die sich oft zu unserm Zustande so wenig schicken, als wir uns zu einer vernünftigen Andacht; diese kann man allezeit herlesen. Aber das heisse ich nicht beten. Das heißt nur thun, als wenn man beten wollte.

FRAU RICHARDINN. Gerechter Gott! Sie machen mich ganz bestürzt. Ich will doch nicht hoffen, daß Sie ein heimlicher Verächter des Gebets seyn sollten.

FERDINAND. Und ich will nicht hoffen, daß Sie mich ohne Grund zum Heiden machen werden.

FRAU RICHARDINN. Die Religion — — —

FERDINAND. Die Religion ist das Heiligste unter allem, was man verehren und ausüben kann; aber die Meynungen eines übelbeschaffenen Verstandes gehören nicht zur Religion, sondern unter die Irrthümer. Doch wir wollen einander itzt nicht bekehren. Machen Sie sich, wegen meiner Religion, keine Sorge. Erklären Sie sich lieber, wie es mit der Aussteuer werden soll. Hier kömmt gleich Herr Simon.

Siebenter Auftritt.

HERR SIMON. DIE VORIGEN.

SIMON. Madame, Sie haben befohlen, daß ich Ihnen diesen Nachmittag aufwarten, und Dero Entschluß — — —

2*

Frau Richardinn. Mit der Madame verschonen Sie mich. Solche weltliche Titel kann ich nicht leiden. Es ist mir indessen lieb, daß Sie so ein ehrliches Absehen auf meine Tochter haben. Ich will gleich gehen, und sie noch einmal fragen. Alsdenn wollen wir die Sache vornehmen, wenn es nicht zu spät wird. Gedulden Sie sich nur einige Augenblicke.

Achter Auftritt.

Herr Simon. Herr Ferdinand.

Simon. Das Compliment von einer Schwiegermutter war eben auch nicht zu zärtlich. Sind Sie denn mit den Heyrathspunkten zu Stande gekommen?

Ferdinand. Fragen Sie mich ja nicht. Ich weis nicht, was ich aus der Frau machen soll. Und ich wollte, daß Ihr ehmaliger Herr Vormund selbst mit Ihnen hergereiset wäre, und mich mit dieser Verrichtung verschonet hätte. Er hat die Heyrath angefangen; so hätte er sie auch zu Stande bringen mögen. Sie will von den zehntausend Thalern gar nichts hören.

Simon. Das sind schlechte Aspecten! Ich wollte das Geld gern vergessen; allein ich habe meine Braut itzt eine halbe Stunde allein gesprochen. Sie ist schön, recht sehr schön; aber — — —

Ferdinand. Nun, was fehlt Ihnen, was wollen Sie mit dem aber sagen?

Simon. Meine Braut ist recht sehr schön, Herr Ferdinand; aber — —

Ferdinand. Aber, sie will Sie nicht haben?

Simon. Ach nein! Ich habe sie wohl zehnmal gefragt, und allemal hat sie ja geantwortet, weiter aber auch kein Wort. Das gute Kind besitzt viel Schönheit, viel Reichthum; doch wollte der Himmel, daß sie auch das dritte besässe!

Ferdinand. Hat sie etwa keinen Verstand?

Simon. Viel nicht, so viel ich muthmaaße.

Ferdinand. Dieß mag ein Familienfehler seyn. Die Frau Mama, meine liebe Frau Muhme, darf sich über den Überfluß der Vernunft auch nicht beklagen. Allein Sie haben ja Ihre Braut vor einem halben Jahre gesehen, und ich weis, daß sie Ihnen damals gefallen hat.

SIMON. Von Person hat sie mir gefallen, und gefällt mir noch. Ich werde aber nicht gedacht haben, daß eine so schöne Person nicht reden kann. Damals hielt ich ihr Stillschweigen für eine grosse Sittsamkeit, oder Schamhaftigkeit. Nunmehr sehe ich wohl, daß es ihr an der Erziehung und an der Lebensart fehlt.

FERDINAND. Also wollen Sie wieder zurücktreten?

SIMON. Ich möchte sie haben, und möchte sie auch nicht haben. Wenn sie nur klug und artig wäre: So wollte ich sie allen in der Welt vorziehen, wenn sie auch nicht das geringste Vermögen hätte.

FERDINAND. Unsere Sachen gehen recht gut. Haben Sie nicht noch ein Frauenzimmer im Vorschlage, bey der wir im Rückwege unser Wort auch anbringen könnten? Ich möchte gern noch einmal die Person eines Freywerbers spielen. Denn ich schliesse aus dem guten Erfolge unserer Verrichtung und aus meinem innerlichen Berufe, daß ich zum Brautwerben gebohren bin.

SIMON. Lieber Herr Ferdinand, werden Sie nicht unwillig. Es ist bey der Sache niemand unglücklicher und strafbarer, als ich. Ich habe das gute Kind gewählt, weil sie mir gefallen hat, und sie hat mir gefallen, weil ich nicht Gelegenheit gehabt habe, sie zu kennen. Ich will nicht sagen, wie viel mein ehmaliger Vormund Theil an dieser Heyrath hat. Er hat alle seine Beredsamkeit angewandt. Und ich glaube, daß ers gut gemeynt hat. Denn ein Mädchen, das schön ist und dreyßig tausend Thaler zu hoffen hat, ist freylich bey einem, der das Geld, wie er, liebte, ein Glück, das man nicht aus den Händen lassen kann, wenn man nicht wahnwitzig heissen will.

FERDINAND. Sagen Sie nur kurtz und gut, was Sie thun wollen? Denn wir haben keine Zeit zu verlieren.

SIMON. Ich weis es nicht. Rathen Sie mir, Herr Ferdinand, was ich anfangen soll?

FERDINAND. Sie nehmen ja die Frau nicht für mich, sondern für sich. Ihr Herz und Ihr Verstand müssen in der Liebe Ihre besten Rathgeber seyn. Gedenken Sie mit Ihrer Braut eine zufriedene Ehe zu führen: So lassen Sie itzt die Mitgabe fahren, und geben Sie Ihr Wort von sich. Die Seele der Ehe ist die Gleichheit der Gemüther. Glauben Sie nun, Daß Ihre Christiane Ihnen an der Gemüthsart nicht gleicht: So machen Sie sich ja nicht zum Märtyrer von ein paar schönen Augen.

SIMON. Ich sagte ihr die zärtlichsten Sachen von der Welt vor, und sie blieb bey allen gleichgültig. Wenn sie mich nur mit einer empfindlichen Miene belohnt hätte. Ja, und Nein, waren ihre Antworten. Und das Ja sprach sie mit eben dem Tone aus, wie das Nein. Sie muß gar keine Empfindungen von der Liebe haben. Sie hat in der ganzen halben Stunde ihr Gesichte nicht einmal verändert, und wenn sie die Augen nicht offen gehabt hätte: So hätte man schwören sollen, sie schliefe und redte zuweilen ein Wörtchen im Traume. Ich glaube, daß es ein gutes unschuldiges Mägdchen ist. Aber die Unschuld ohne Verstand ist ein sehr mittelmäßiger Schatz.

Neunter Auftritt.

DIE VORIGEN. LORCHEN.

LORCHEN. Endlich hat sich die Frau Richardinn entschlossen. Sie will ihrer Tochter fünftausend Thaler an Wechseln mitgeben. Aber auch keinen Heller mehr. Und wenn ich Ihnen wohlmeynend rathen soll: So spannen Sie die Sayten nicht zu hoch. Die Frau Richardinn möchte sonsten gar nein sagen. Lassen Sie es bey dem Gelde bewenden, Herr Simon; Sie bekommen doch alles nach Ihrer Frau Schwieger Mutter Tode.

SIMON. Ach liebe Mademoiselle, das Geld liegt mir nicht an der Seele. Sie kennen mich besser, und ich wollte gern mein halbes Vermögen hingeben, wenn meine Braut nur — — — lebhafter wäre. Ich will es Ihnen aufrichtig sagen. Sie scheint mir etwas einfältig zu seyn.

LORCHEN. Dieses Geständniß höre ich sehr ungern. Ich bin Ihrer Braut von Herzen gut und ich erschrecke, daß Ihnen eine Person nicht gefällt, die Ihnen vor allen andern gefallen und die in Ihren Augen die Liebenswürdigste und Klügste seyn sollte.

SIMON. Ach lieber Gott — — —

LORCHEN. Hören Sie mich doch, Herr Simon. Es ist wahr, Ihre Braut hat keinen gar zu geübten Verstand; aber es ist kein Fehler der Natur, sondern einer unachtsamen und sklavischen Erziehung.

SIMON. Bin ich dadurch gebessert?

LORCHEN. Ja, bringen Sie nur Ihre Liebste in vernünftige und muntere Gesellschaft. Ich wette, daß sie in kurzer Zeit eine angenehme Lebensart an sich nehmen soll. Sie hat das beste Herz. Sie läßt sich zureden. Sie wünscht, daß man sie tadeln und bessern

soll. Allein ihre Mutter hat alle diese guten Regungen zurück-
gehalten, und ihrer Tochter nur die Anleitung gegeben, eine Betschwester und eine karge Wirthinn zu werden. Und Dank sey
Christianchens gutem Naturelle, daß sie keinen von beyden
Charaktern angenommen hat.

FERDINAND. Wie? Singt sie auch so gern, wie ihre Mutter?

SIMON. Ist sie etwan auch geizig?

LORCHEN. Nein, meine Herren, keines von beyden! Sie ist weder
geizig, noch närrisch andächtig. Sie ist erst sechzehn Jahre, und
zu beyden noch zu jung. Kurz: Sie ist noch gar nichts. Sie hat
aber die Fähigkeit, die beste Frau von der Welt zu werden, wenn
ihr Mann die Geduld hat, sie dazu zu machen. Die Liebe kann in
kurzer Zeit eine Person ändern, und ein gutes Naturell wird
durch gute Beyspiele bald witzig und belebt.

SIMON. Sie reden sehr wahr, und verdienen die größte Erkänntlich-
keit und Hochachtung von mir. Allein, wenn nur meine Braut
schon das wäre, was sie nach Ihrem Urtheile werden wird: So
wollte ich sie unendlich lieben. Ich glaube, daß alle diese guten
Eigenschaften in ihr verborgen liegen; aber ich bin so sinnlich,
daß ich nicht die zukünftigen, sondern die gegenwärtigen Voll-
kommenheiten liebe. Wird nicht meine Geduld, oder meine Gewogenheit zu ihr, sich mitten in der Bemühung, sie recht liebens-
werth zu machen, verlieren?

LORCHEN. Nein, ich glaube es nicht. An einem unschuldigen Herzen
werden die kleinen Fehler unmerklich, und Sie werden Ihr
Christianchen um desto zärtlicher lieben, wenn Sie sehen, wie
bereit sie ist, Ihnen liebenswürdig und gleich zu werden.

SIMON. Das muß ich gestehen. Sie setzen meine Braut wieder in die
vorige Hochachtung bey mir. Und ich weis nicht, ob ich Ihren
edlen Vorstellungen, oder der Unschuld meiner Braut die Liebe
von neuem zu danken habe. Denn ich war völlig entschlossen,
mein Christianchen zu vergessen.

LORCHEN. Hierzu sind Sie zu großmüthig.

FERDINAND *zu Simonen.* Also wollen Sie bey dem Entschlusse
bleiben, und sie heyrathen?

SIMON. Ja. Christianchen soll die Meinige seyn. Ich will sie ziehen,
wie ich sie mir wünsche.

LORCHEN. Das vergnügt mich von Herzen. Wissen Sie was, Herr
Simon? Versprechen Sie sich itzt mit ihr, und schieben Sie
die Hochzeit noch ein Jahr auf; aber sagen Sie es Ihrer Frau

Schwiegermutter nicht. Warten Sie noch ein paar Tage hier und alsdann nehmen Sie Ihr Christianchen gleich mit. Ich will ihr Gesellschaft leisten. Machen Sie uns nur bey der Frau Richardinn in Berlin ein Quartier aus. Ich will um Ihre Braut seyn. Ich will sie in Gesellschaft bringen. Ich will mit ihr reden. Ich will ihr gute Bücher, vernünftige Romane vorlesen. Ich will ihr so viel Französisch lernen, als ich kann. Sie soll allemal über den andern Tag einen Brief an Sie schreiben.

SIMON. Dieß wollen Sie thun?

LORCHEN. Ja, Sie sollen sie alle Tage besuchen; aber im Anfange nur eine halbe Stunde. Sie sollen sie zärtlich machen. Sie sollen ihr die größten Gefälligkeiten erweisen, damit sie anfängt, Sie recht zu wünschen und zu verlangen. Dieses Verlangen wird sie beleben und ihr ein Antrieb zu alle dem werden, was man Lebensart und Artigkeit nennt. Ich weis es gewiß, sie wird in kurzer Zeit so munter und angenehm seyn, als sie unschuldig und schön ist.

SIMON. Wie glücklich bin ich! Sie wollen sich die Mühe geben, und mein Christianchen ziehen, und mir eine glückliche Ehe machen. Herr Ferdinand, Sie sagen nichts dazu?

FERDINAND. Was soll ich sagen? Lorchen beschämt uns alle beide an Einsicht. Sie verdient Hochachtung, und Gehorsam. Folgen Sie ihr. Mein Rath ist kein andrer, als der ihrige.

LORCHEN. Herr Ferdinand, Sie wollen gewiß sehen, ob ich bey einer Lobeserhebung noch roth werde? Wenn mein Rath gut ist: So habe ich ihn nicht so wohl meiner Einsicht, als der Liebe zu einer unschuldigen und noch nicht erzogenen Freundinn, zu danken. Ich weis mir die Welt und Herr Simonen, dem ich schon so viel Höflichkeit schuldig bin, nicht verbindlicher zu machen, als wenn ich eine zufriedene Ehe bewerkstelligen helfe. Es soll mir das größte Vergnügen seyn, wenn ich diese gute Absichten bey unserer Christiane erreiche, und ich zweifle nicht einen Augenblick daran.

SIMON. Großmüthige Freundinn, womit kann ich Ihre Redlichkeit belohnen? Sie wissen, daß ich mehr Vermögen habe, als ich vielleicht bey einer ordentlichen Lebensart brauche. Das Glück ist nicht so liebreich gegen Sie gewesen, als die Natur. Erlauben Sie mir, daß ich diesen Mangel ersetze, und Ihnen eine Verschreibung von fünftausend Thalern anbieten darf. So lange ich lebe, und so lange Sie in Berlin bleiben wollen; so sollen Sie nicht für das geringste zu sorgen haben. Das Geld aber können Sie zu Ihrem freyen Gebrauch anwenden.

LORCHEN. Ich, mein Herr — — —

SIMON. Dieses Geld soll mit der Bedingung Ihre, daß Sie sich nicht dafür bey mir bedanken. Gesetzt, daß auch meine Christiane in dem ersten Jahre nicht so würde, als es meine Liebe verlangt: So werde ich Ihnen die Schuld nicht beymessen. Ich belohne nicht den Ausgang der Sache, sondern Ihre edlen Absichten.

LORCHEN. Überhäufen Sie mich nicht mit Wohlthaten. Ich verlange den Reichthum eben so wenig als die Armuth. Fünftausend Thaler würden mich beunruhigen, wenn ich sie behielte; und sie würden mich auch beunruhigen, wenn ich sie nicht allemal wohl anwendete. Und so viel traue ich mir nicht zu. Nein, Herr Simon, machen Sie mich nicht reich. Geben Sie mir nur so viel, als man braucht, wenn man nicht gehorchen, und nicht befehlen will. Es ist Glück genug, wenn ich in die Umstände komme, daß ich mir von der Frau Richardinn keine Wohlthaten mehr darf erweisen lassen, und die unschuldige Christiane so erziehen kann, als ich wünsche. Ich will gehen und ihr unsern Vorschlag eröfnen. Kommen Sie mit, Herr Ferdinand, damit es mehr Eindruck hat. Sie aber, Herr Simon, können indessen zu Ihrer Frau Schwiegermamma ins Betzimmer gehen. Sie wird Ihnen die Zeit nicht lang werden lassen. Doch in ihrer Betstube wird sie Ihren Besuch wohl nicht annehmen. Suchen Sie sie nur auf: Sie wird doch wenigstens mit Ihnen in diese Stube gehen müssen.

Ende des ersten Aufzugs.

ZWEYTER AUFZUG.

Erster Auftritt.

FRAU RICHARDINN. SIMON.

FRAU RICHARDINN. Sie kamen, als wenn Sie gerufen wären. Ich wollte eben gern ein Wort mit Ihnen allein reden. Nehmen Sie es nur nicht übel, daß ich Sie nicht in meine Betstube geführt habe, es sieht nicht gar zu ordentlich darinn aus. Ist mirs doch recht lieb, daß Herr Ferdinand nicht bey Ihnen ist. Wo ist er denn?

SIMON. Er hat, glaube ich, noch einige Kleinigkeiten wegen unserer morgenden Abreise zu besorgen. Er wird gar nicht lange aussen bleiben.

FRAU RICHARDINN. Nun! Sie sollen meine Tochter haben, wenn Sie sie in Ehren halten, und ihr treu und gewärtig seyn wollen.

SIMON. Ich danke Ihnen unendlich für dieses Geschenk. Sie können versichert seyn, daß ich Ihre Jungfer Tochter, wie mich, lieben werde.

FRAU RICHARDINN. Ja, das ist alles gut. Die Ehen werden im Himmel geschlossen, und durch Beten und Singen kömmt Liebe und Seegen in die Ehe. Halten Sie ja meine Tochter zum Gebet an, und lassen Sie sie die gottlosen Moden in Kleidern nicht mitmachen. Ich habe noch ganz hübsche Kleider. Von diesen will ich ihr etliche mitgeben, und sie kann sie mir und meinen Groß-ältern zu Ehren noch zeitlebens tragen.

SIMON. Ich will sie schon mit Kleidern versorgen.

FRAU RICHARDINN. Nein, Herr Sohn, von denen fünftausend Thalern, die ich ihr mitgebe, dürfen Sie nicht einen Heller zu Kleidern anwenden. Das Capital muß in die Steuer und die Interessen müssen wieder zu einem Capitale gemacht werden. Dieses ist mein Wille. Ich arme Wittwe, wie werde ich so viel Geld in meiner schweren Haushaltung entbehren können!

SIMON. Die Frau Schwiegermutter, (erlauben Sie, daß ich mich nunmehr dieses Worts bedienen darf,) können doch allemal ihren Weg zu mir nehmen, wenn Ihnen etwas mangeln sollte.

FRAU RICHARDINN. Zum Gebete, wollen Sie sagen, ja, zum Gebete will ich meine Zuflucht nehmen. Ich habe der Heyrath wegen heute meine Übungsstunde ausgesetzt. Gott wird mirs vergeben. Ich will es ein andermal einbringen. Und ich habe mich entschlossen, Gott morgen etwas zu seinem Dienste zu schenken, wenn Sie etwas dazu beytragen wollen.

SIMON. Von Herzen gern. Wollen wir etwan dem Armuth etwas geben, oder zur Erziehung etlicher Waisen etwas gewisses aussetzen? Mit Freuden! Ich wollte, daß ich alle Menschen glücklich machen könnte.

FRAU RICHARDINN. Ach! das Armuth! Man weis ja nicht, wie man seine Gaben anlegt. Es giebt der gottlosen Leute zu viel. Nein, da ich mit meiner Christiane darnieder kam: So ließ ich den Taufstein in unserer Kirche kleiden, und da sie heyrathet: So will ich gern ein Liebeswerk thun, und den Altar bekleiden lassen. Ich will nur gut roth Tuch und tombackne Dressen darum nehmen, dem ungeachtet wird es schon sehr hoch kommen. Ich arme Frau! doch laß deine Rechte nicht wissen, was deine Linke thut. Ich will es ohne Zweifel und Mistrauen thun. Wer der Kirche giebt, der leihet dem Herrn, und der wird es ihm wieder vergelten.

SIMON. Lassen Sie den Altar kleiden! Ich will ein klein Capital zur Verpflegung der Hausarmen aussetzen.

FRAU RICHARDINN. Ach! die Hausarmen! Bedenken Sie nur, ich gebe zuweilen einem armen Manne, der sich bey meinem Hausbau zu Schanden gefallen hat, ein Allmosen. Letzthin treffe ich ihn vor dem Thore auf der Strasse sitzend an. Können Sie sich wohl einbilden, daß er eine Semmel in der Hand hatte, und aß? Das gottlose und verschwenderische Volk!

SIMON. Wer weis, wer sie ihm gegeben hat. Gesetzt, er hätte sie auch gekauft: So ist er vielleicht so elend, daß er kein Brod mehr zu sich nehmen kann. Und endlich hat er ja, als ein Armer, auch Recht zu einer kleinen Erquickung.

FRAU RICHARDINN. So? Soll er nicht sparen? Nicht zu Rathe halten? Könnte er sich nicht auch Bier dazu holen lassen? Es kömmt das ganze Jahr keine Semmel in mein Haus, und ich lebe immer. Wenn ich und mein seeliger Herr nicht gespart hätten, wo hätte es herkommen sollen? Ich habe siebenmal in den Wochen gelegen, und allemal habe ich der Kirche etwas geschenkt. Bey meinem ersten Sohne verehrte ich ein stark mit Silber beschlagenes Collectenbuch auf den Altar, weil ich gern wollte, daß er Theologiae studiren sollte, und bey der — — —

SIMON. Ich gebe ohne weitere Umstände funfzig Thaler für diejenigen, die sie brauchen.

FRAU RICHARDINN. Nein, nein: hören Sie mir doch zu. Bey der ersten Tochter ließ ich ein reiches Meßgewand machen, und hätte es Gott gewollt: So hätte es nicht ohne Vorbedeutung seyn sollen. Sie hätte, wenn sie am Leben geblieben wäre, gewiß einen Geistlichen bekommen. Die liebe Kirche hat schon neun verschiedene Stücken von mir zu ihrem Zierrathe. Und morgen soll das zehnte kommen. Sie kostet mich in allem bey nahe dreyhundert Thaler. Aber ich werde doch nicht müde. Wer weis, wo mirs Gott anderwärts ersetzt. Haben Sie sich nicht in der Kirche herumführen lassen? Es stehen auf jedem Stücke von mir die Anfangsbuchstaben meines Namens; nicht deswegen, daß die Leute von meiner Gutthätigkeit reden sollen, sondern, daß nicht etwan ein Fremdes käme, und sich für den Wohlthäter ausgäbe. Wo Sie die Buchstaben M. C. R. finden, das heißt Maria Christiane Richardinn, und ist von mir.

SIMON. Allein ich dächte, Ihre Kirche hätte selbst grosse Capitale. Könnten die Mamma nicht ausserdem ein gutes Werk stiften? Ihre Hausjungfer, Jungfer Lorchen, wäre es nach meinen Gedanken wohl werth, daß Sie etwas zu ihrem künftigen Unterhalte, oder wenn sie noch heyrathen wollte, zu ihrem Heyrathsgute aussetzten und das redliche Mädchen versorgten.

FRAU RICHARDINN. Das redliche Mädchen braucht nichts. Wenn sie weltliche Bücher und Romane hat: So ist sie zufrieden, und denkt weiter an nichts. Ihre Aufführung gefällt mir gar nicht. Sie hätte lieber meine Tochter auch zu der galanten Lebensart anführen wollen. Letzthin gab sie ihr ein Buch zu lesen, ich weis nicht, ob es Pemala oder Pamela hieß. Genug, es war ein Liebesbuch, und auf dem Kupfer stund der Teufel hinter einer Frau, und wollte sie verführen. Aber ich kam zu allem Glücke dazu, und riß es meiner Tochter aus der Hand. Solche teuflische Bücher!

SIMON. Die Pamela ist ein sehr guter Roman, der die Unschuld und Tugend liebenswürdig zu machen sucht. Ein Priester in Engelland hat ihn selber auf der Kanzel zum Lesen angepriesen.

FRAU RICHARDINN. Und wenn es zehn Priester gethan hätten: So soll meine Tochter keinen Roman lesen. Was will ein englischer Priester von der Tugend wissen? Haben diese Leute nicht die Calvinische Religion? Wollen Sie meine Tochter gar zu einer Calvinistinn machen?

SIMON. Liebe Mamma, Sie übereilen sich in Ihrem Eifer.

Frau Richardinn. Ich übereile mich nicht. Mit einem Worte, Lorchen lebt nach der Welt. Sie geht, wie andere Leute gehen. Sie hat sich die Haare verschneiden lassen. Sie läßt sich frisiren, und liest wohl gar dazu in einem Buche. Sie trägt Andriennen, und einen grossen Fischbeinrock, und bindet oft die ganze Woche keine Schürze um. Das hätte ich bey meiner seeligen Mutter thun sollen. Sie hätte mich nicht eine Stunde in ihrem Hause gelitten.

Simon. Aber dieses sind ja alles unschuldige Dinge. Es sind Moden und Trachten, die weder fromm noch boshaft machen. Was liegt der Tugend daran, ob man das Kleid in Form eines langen Pelzes, oder einer Andrienne trägt? Wenn nur das Herz nicht eitel und närrisch ist.

Frau Richardinn. Ich höre es schon, Sie sind ein Indifferentist. Bey Ihnen ist eines so gut, wie das andere! Nein, Herr Sohn! Itzt habe ich meine Tochter noch, und ehe sie weltlich werden soll: So mag sie zeitlebens eine Jungfer bleiben.

Simon. Fürchten Sie nichts. Bey mir soll sie weder die Religion, noch die Tugend, verlieren. Ich liebe beides über alles. Wenn es Ihnen indessen gefällig ist: So wollen wir einander in Beysein etlicher guten Freunde das Jawort geben.

Frau Richardinn. Ich kann es noch nicht vergessen, daß Sie mir Lorchen so angepriesen haben. Ich will nicht richten; aber ich glaube gar nicht, daß sie recht im Christenthume unterrichtet ist. Sie singt oft den ganzen Tag kaum ein Lied, und hat nicht mehr, als ein Gebetbuch.

Simon. Man kann ja wohl im Stillen andächtig seyn, und ohne Gebetbuch beten.

Frau Richardinn. Soll man denn etwan gar aus dem Kopfe beten?

Simon. Wer die Religion und sein Herz kennet, den wird beides beten lehren. Und wer beides nicht kennt, der wird mit allen Gebeten nur ein Gewäsche treiben, sie mögen so gut seyn, als sie wollen. Doch liebe Mamma, wir wollen von etwas anders reden; wollen Sie mich denn auch bald in meiner Heimath besuchen?

Frau Richardinn. Das weis ich nicht. Wo wollte ich die Reisekosten hernehmen? Es geht gar zu viel bey mir auf. Es haben in diesem Jahre schon drey Pathen von mir geheyrathet, und einmal habe ich, und zweymal hat meine Tochter zu Gevattern gestanden. Gestern ist eine alte sechzigjährige Jungfer in der Vorstadt begraben worden, der habe ich einen Kranz für einen Gulden, und ein cathunes Sterbekleid von dem besten Cathune machen lassen. Sie sah recht schön darinne aus, und sie lag im Sarge, als wenn

sie noch lebte. Das Crucifix kostet mich auch neunzehn Groschen.
Der liebe Gott wird es nicht unvergolten lassen.

SIMON.   War sie denn so arm, daß sie nicht konnte unter die Erde
gebracht werden?

FRAU RICHARDINN.   Ja wohl! Sie hat in ihrem Leben nichts, als
zwanzig Thaler gehabt, welche sie meiner Christiane vermacht
hat. Und ihre ehrvergeßnen Anverwandten hätten sie lieber in
ihren ordentlichen Kleidern und in einem schwarzen Sarge ohne
Kranz, ohne alles, begraben lassen. Ich weis gar nicht, wo solch
Volk hindenkt; ob es sich nicht der Sünde fürchtet. Gott Lob,
daß die Leute mein mildes Herz kennen. Es geht keine Woche
vorbey, so sprechen sie mich um einen Kranz für ein Verstorbenes
an. Und so schwer mirs fällt: so lasse ich doch allemal einen
machen; es ist ja die letzte Wohlthat, die man einem in dieser
Welt erweiset. Meine seelige Mutter war auch so gesinnt. Gott,
wie viel Leute giengen nicht mit ihr zu Grabe! Wie rühmten sie
nicht ihre Frömmigkeit! Ich denke, es soll mir bey meinem letzten
Gange auch nicht an Begleitern fehlen.

SIMON.   Gebe der Himmel, daß es sehr spät geschehe, und daß ich
noch lange das Vergnügen habe — — —

Zweyter Auftritt.

LORCHEN. CHRISTIANCHEN. DIE VORIGEN.

LORCHEN.   Der Caffee ist fertig. Ich habe ihn in die grosse Stube
tragen lassen, und Herr Ferdinand wartet auf Sie.

FRAU RICHARDINN.   So kommen Sie denn, Herr Simon. Wir wollen
mit Herr Ferdinanden alles fein bald abreden; denn um sechs
Uhr muß ich zu meiner Andacht. Du, Christiane, kannst mit
Lorchen noch einige Augenblicke hier warten, bis wir fertig sind,
alsdenn will ich euch beide rufen lassen. *Sie gehen ab.*

Dritter Auftritt.

LORCHEN. CHRISTIANCHEN.

LORCHEN.   Also wollen Sie sichs gefallen lassen und noch ein Jahr
bis zur Hochzeit bey mir in Berlin leben?

CHRISTIANCHEN.   Ach ja. Warum nicht? Wenn es die Mamma und
Herr Simon so haben wollen.

LORCHEN. Aber wird Ihnen die Zeit bis zur Hochzeit nicht zu lang werden? Das Verlangen denjenigen, welchen man liebt, zu besitzen, läßt sich nicht so leicht befriedigen, als wir denken.

CHRISTIANCHEN. Ich fühle kein besonderes Verlangen.

LORCHEN. Wollen Sie ihn denn nicht haben?

CHRISTIANCHEN. Ja, warum nicht? Sie rathen mir ja selbst dazu. Ich weis, Sie meynen es gut mit mir. Ich verlasse mich auf Sie.

LORCHEN. Ich meyne es gut mit Ihnen; aber Sie müssen es auch gut mit sich selbst meynen, und sich prüfen, ob Sie ihn lieben.

CHRISTIANCHEN. Herr Simon gefällt mir ganz wohl; allein er redt zu hoch mit mir. Ich kann ihm nicht alles verstehen. Wenn ich ihm nur nicht zu ungelehrt bin.

LORCHEN. Machen Sie sich keine Sorge. Ein Frauenzimmer braucht nicht gelehrt zu seyn. Wenn wir, bey einer zärtlichen Liebe, Verstand und Tugend haben; So haben wir alles, was ein vernünftiger Ehemann fordern kann.

CHRISTIANCHEN. Ja, ja, ich will ihn nehmen, wenn er mich verlangt. Will er mich aber auch nicht haben; so bin ich ebenfalls zufrieden. Sie kennen mich ja, wie ich bin. Ich lasse mir alles gefallen.

LORCHEN. O reden Sie nicht so gleichgültig. Es wird mir angst und bange dabey. Ich hörte es lieber, wenn Sie sprächen, daß Ihnen ein Augenblick ohne Herr Simonen zu lang würde.

CHRISTIANCHEN. Nein, das kann ich nicht sagen. Ich bin zu aufrichtig dazu.

LORCHEN. Aber er liebt ja Sie so zärtlich. Warum empfinden Sie denn nichts, mein liebes Christianchen? Es ist ja ein wohlgebildeter und angenehmer Mann.

CHRISTIANCHEN. Ich versichre Sie, daß ich in meinem Leben noch keine Empfindung gegen eine Mannsperson gemerkt habe. Ich komme ja nirgends hin. Ich darf ja mit keinem Menschen reden, weil es meine Mamma nicht haben will. Machen Sie nur, mein liebes Lorchen, daß ich artiger und munterer werde. Ich will Ihnen ja gern folgen. Lesen Sie mir nur oft aus dem Zuschauer vor. Es stehen solche artige Historien darinne. Ich möchte recht gerne etwas wissen, wenn nur meine Mamma nicht so strenge wäre, und mich stets mit dem Nähen und Singen plagte.

LORCHEN. So haben Sie noch niemals geliebt?

CHRISTIANCHEN. Niemals. Und wenn es mein Leben kosten sollte: So könnte ich nicht sagen, was Liebe, oder Haß, wäre. Es hat

mich auch in meinem Leben noch keine Mannsperson geküßt,
ausser mein Bräutigam, der hat mir vorhin das erste Mäulchen
abgezwungen.

LORCHEN. Aber bey diesem Kusse werden Sie destomehr gefühlt
haben, weil es der erste gewesen ist?

CHRISTIANCHEN. Nichts mehr, als was ich fühle, wenn Sie mich
küssen, ausser, daß mir das Blut ein wenig ans Herze trat, weil
ich mich schämte.

LORCHEN. Ich glaube es gar wohl, daß die Schamhaftigkeit an
dieser Bewegung Ursache gewesen ist; aber, wer ist Ihnen gut
dafür, daß nicht auch die Liebe zu dieser Regung das ihrige beygetragen hat? Wir empfinden die Liebe oft, ohne daß wir wissen,
daß es die Liebe ist. Das Verlangen nach einer Person ist das
sicherste Kennzeichen der Liebe.

CHRISTIANCHEN. Ich habe nach niemanden ein Verlangen ausser
nach Ihnen, und zuweilen nach meiner Mamma. Nehmen Sie
meine Schwachheit nicht übel, wenn es eine ist. Nicht wahr, Sie
hassen mich nicht, daß ich noch so unerfahren bin?

LORCHEN. Nein, mein liebes Kind. Wollte der Himmel, daß ich Sie
recht glücklich machen könnte. Ich habe Sie wegen Ihrer unge-
künstelten Aufrichtigkeit von Herzen lieb. Es fehlet Ihnen nichts,
als die Welt. Ein vernünftiger Umgang und ein gutes Buch
werden Sie in kurzem so weit bringen, daß ich von Ihnen lernen
muß.

CHRISTIANCHEN. Sagen Sie mir nur, wodurch ich Ihnen gefallen
kann. Ich will alles in der Welt für Sie thun. Ich habe Sie weit
lieber, als meine Mamma. Ach wenn ich nur reden könnte. Wenn
Herr Simon wieder kommen wird: So geben Sie nur Achtung, ich
kann kein Wort aufbringen. Ich denke stets, ich sage etwas un-
anständiges, weil ich nicht weis, was man reden soll. Da kommen
sie, sie werden mich zum Jaworte holen wollen. Ich will geschwind
gehen, und mein diamanten Kreuzchen erst umbinden.

Vierter Auftritt.

HERR SIMON. HERR FERDINAND. LORCHEN.

SIMON. Dergleichen Frau habe ich Zeit meines Lebens nicht gesehen.
Es ist alles aus, mein liebes Lorchen, und mit einem Worte: es
wird nichts aus der ganzen Heyrath.

LORCHEN. Sie scherzen. Christianchen wird gleich wieder kommen,
wir wollen immer gehen.

FERDINAND. Nein, nein. Es hat seine Richtigkeit. Sie können uns
sicher trauen. Die Heyrath geht gewiß nicht vor sich.

LORCHEN. Sagen Sie mir um Gottes willen, was es gegeben hat?

SIMON. Das kann ich Ihnen leicht sagen. Sie, die liebe Frau, schenkt
mir eine Tasse Caffee ein. Zehn Stückchen Zucker griff sie an,
ehe sie das kleinste nach ihren Gedanken fand, und zehnmal fragte
sie mich, ob ich auch gern süße tränke, und versicherte mich, daß
der Zucker sehr schleimte.

LORCHEN. Darüber dürfen Sie sich nicht wundern. Bey ihr sind alle
Dinge schädlich, die man nicht umsonst bekömmt. Und Sie haben
sich zu gratuliren, daß sie Ihrentwegen hat Caffee machen lassen.
Denn diese Ehre wiederfährt auch ihrem Beichtvater nicht. Der
heutige Caffee ist seit einem Jahr der andere, den ich in ihrer
Stube gesehen habe. Allein, wie ward es denn weiter?

SIMON. Ich nehme schon halb mit Lachen die Tasse in die Hand.
Und eben da ich trinke, so erzählt sie die Historie von einem
Anzeichen, das es gegeben hätte, da sie mit Christianchen in den
Wochen gelegen hätte. Es war unmöglich, das Lachen zu lassen.
Ich sehe Herr Ferdinanden an, und werfe, weil ich vor Lachen
husten muß, die oberste Tasse auf die Erde.

LORCHEN. Und sie geht entzwey? Das will ich nicht hoffen. Die
Frau Schwiegermutter wird Ihnen in ihrem Leben nicht wieder
gut.

FERDINAND. Ich wollte, daß mir meine Frau Muhme nicht so viel
Ehre machte. Erzählen Sie die verdrießliche Sache so kurz, als es
möglich ist, und machen Sie, daß wir aus einem Hause kommen,
wo die Frau eine Närrinn ist.

SIMON. Die Tasse geht entzwey, und, indem sie herunter fällt, so
entfährt mir das Wort: Der Teufel! das ich zu sagen pflege, wenn
ich erschrecke. Kurz, sie machte über diesen Verlust unerträgliche
Grimassen. Diese Aufführung gefällt mir gar nicht von Ihnen,
fieng sie an. Ich glaube, Sie lachten mich aus, und liessen die
Tasse mit Fleiß fallen. Ist meine Betstube gut genug, daß Sie den
Teufel darinne fluchen? Bin ich und mein Kind des Teufels?
Haben Sie denn gar keine Religion? Sie kriegen meine Tochter
nicht. Ich will eine Tochter, und fünftausend Thaler, nicht weg-
werfen. Hören Sie nur! Sie kriegen Sie nicht! Der Teufel wohnt
nicht in unserm Hause! Solche Schmeicheleyen machte sie mir.

LORCHEN. Was fangen Sie für Sachen an?

SIMON. Sie können leicht denken, daß mir alle Gelassenheit vergieng. Mit einem Worte, ich sagte ihr, daß ich für die Ehre, ihr Schwiegersohn zu werden, mich gehorsamst bedanken und mich ihr hiermit bestens empfehlen wollte.

LORCHEN. Ist denn die Sache gar nicht wieder gut zu machen?

FERDINAND. Nein, es ist unmöglich. Sie hat uns ordentliche Grobheiten gesagt. Und sie verdient nicht, daß Herr Simon weiter an sie denkt.

LORCHEN. Mich dauert nur die arme Christiane. Was kann denn sie dafür? Es ist das redlichste Kind von der Welt.

SIMON. Mich dauert sie auch. Ich will ihr den besten Mann von der Welt wünschen, und ihr alle die Geschenke, die ich zum Mahlschatze mitgebracht habe, zurücklassen. Sie kommen auf tausend Thaler. Die gute Christiane war vielleicht nicht für mich bestimmt.

LORCHEN. So wollen Sie das unschuldige Kind verlassen? Thun Sie es doch nicht. Ich bitte Sie tausendmal.

SIMON. Liebstes Lorchen, bitten Sie nicht. Ich glaube nicht, daß mich Christianchen sehr liebt. Ja ich glaube, daß es ihr leichter werden wird, mich zu verlassen, als wir denken. Ich habe mich schon zu einer andern Wahl entschlossen, und wollte der Himmel — — —

LORCHEN. Sie sind sehr veränderlich. Dieses hätte ich Ihnen nicht zugetraut.

SIMON. Kränken Sie mich nicht. Mein Herz ist redlich; allein ich sehe, Christianchen ist nicht für mich gebohren. Meine Untreue wird ihr eben so gleichgültig seyn, als ihr meine Liebe gewesen ist. Sie bekömmt zehn Männer, wenn ihr auch noch zehn entgehen sollten. Sie ist ja schön, und reich.

LORCHEN. So wollen Sie denn ohne sie wieder fortreisen?

FERDINAND. Ja, morgen, wenn Sie etwas nach Berlin zu bestellen haben. Nehmen Sie immer Abschied, Herr Simon.

SIMON. So leben Sie denn wohl, liebstes Lorchen! Herr Ferdinand, verlassen Sie mich einen Augenblick. Ich will nur ein paar Worte mit Lorchen allein reden.

LORCHEN. Nein, sagen Sie in seiner Gegenwart, was zu Ihren Diensten ist. Wir brauchen nicht, ohne Zeugen mit einander zu reden.

SIMON. Herr Ferdinand, gehen Sie immer voran, ich will gleich nachkommen. Doch nein, bleiben Sie hier und unterstützen Sie mein Wort. *zu Lorchen* Darf ich Ihnen etwas entdecken, das Sie vielleicht näher angeht, als Sie wünschen? Erlauben Sie mir, liebenswürdige Eleonore, daß ich ohne Zwang und ohne Kunst reden darf. Ich liebe Sie, ich biete Ihnen mein Herz und meine Liebe an, und ich will mich glücklich schätzen, wenn Sie mich nicht ohne alle Hoffnung fortreisen lassen.

LORCHEN. Ich weis nicht, was ich auf diesen Antrag sagen soll. Vielleicht sollte ich ihn, nach der Gewohnheit unsers Geschlechts, mit etlichen gleichgültigen Worten, oder blos nur mit einer Miene beantworten. Vielleicht sollte ich Sie mit einigen Complimenten bestrafen, daß Sie mich nicht eher lieben, als bis Sie meine Freundinn nicht bekommen können. Doch Sie mögen aus meiner Bestürzung schliessen, ob mir Ihr Antrag gleichgültig gewesen ist. Fordern Sie kein deutlicher Geständniß. Ich schätze Sie hoch, und kenne Ihre Verdienste, Doch, wenn es auch noch mehr, als Hochachtung wäre, was ich gegen Sie empfinde: So sage ich Ihnen, daß ich lieber alles verlieren, als meiner Christiane ein Glück entziehen will. Und, wenn Sie glauben, daß ich Christianchen, die Freundschaft, und die Tugend liebe: So wird eine genauere Antwort überflüssig seyn.

SIMON. Allein, wenn nun Christianchen gestünde — — —

FERDINAND. Ja, wenn sie nun selbst zugestünde, daß sie den Herrn Simon nicht verlangte: Wollten Sie ihn denn da auch nicht hoffen lassen?

LORCHEN. Christianchen müste den Werth ihres Bräutigams nicht kennen, wenn sie dieses zu thun im Stande wäre. Hier kömmt sie.

Fünfter Auftritt.

CHRISTIANCHEN UND DIE VORIGEN.

CHRISTIANCHEN *zu Lorchen.* Die Mamma schickt mich her. Ich will es Ihnen heimlich sagen.

LORCHEN. Meine Herren, die Frau Richardinn läßt bitten, sie nicht weiter mit Ihrem Besuche zu stören, sie hätte ihre Betstunde schon angefangen.

FERDINAND. So unhöflich wollen wir nicht seyn. Wir wollen gleich gehen. Herr Simon, sagen Sie es Jungfer Christianchen, daß die Mamma — — —

3*

CHRISTIANCHEN. Ich weis es, meine Herren. Und ich will es Ihnen aufrichtig sagen, Herr Simon, daß mir die Mamma befohlen hat, nicht weiter an Sie zu gedenken. Nehmen Sie meine Aufrichtigkeit nicht übel. Ich halte Sie hoch; aber ich habe noch keine Lust zu heyrathen.

SIMON. Also erlauben Sie mir, daß ich mein Wort zurück ziehen darf?

CHRISTIANCHEN. Ja. Werden Sie nur nicht ungehalten auf mich. Ich habe alle Hochachtung für Sie.

SIMON. Auch ich, liebstes Christianchen, werde Sie ewig hoch schätzen, und Ihnen einen viel würdigern Mann wünschen, als ich bin. Bleiben Sie meine gute Freundinn, und nehmen Sie, zum Beweise, daß Sie mich nicht hassen, folgende kleine Geschenke, die ich zu Ihrem Mahlschatze bestimmt hatte, von mir an. Dieses ist die einzige Gefälligkeit, die ich mir vor meinem Abschiede von Ihnen ausbitte.

CHRISTIANCHEN. Ja, ich will es thun; Aber Sie müssen mir erlauben, daß ich mir auch von Ihnen etwas ausbitten darf. Doch ich bin wohl zu frey. Ich will es Ihnen sachte sagen, wenn Sie nicht zürnen wollen. *Sie redet heimlich mit ihm.*

SIMON. An Lorchen soll ich denken?

CHRISTIANCHEN. O! Warum sagen Sie es denn laut? Nun sehe ich, daß Sie mich beschämen wollen.

LORCHEN. Warum soll denn Herr Simon an mich denken?

CHRISTIANCHEN. Sie wissen ja, daß ich Sie liebe. Ach wenn ich Ihnen nur zeigen könnte, wie sehr ich Ihnen gewogen bin. Mein liebes Lorchen, darf ich Ihnen wohl die Juwelen anbieten, die mir Herr Simon geschenkt hat?

LORCHEN. Mein liebes Kind, Sie machen mich durch Ihre Güte unruhig. Ich habe es gut mit Ihnen gemeynt; Aber mein Gott, Sie meynen es noch besser mit mir.

FERDINAND. Wienach soll denn Herr Simon an Jungfer Lorchen denken?

CHRISTIANCHEN. Ich kann es nicht sagen. Es wäre zu frey.

SIMON. Sagen Sie es, mein Engel. Keine Bitte kann so groß seyn, daß man sie Ihnen abschlagen sollte. Mein Vermögen ist zu Ihren und zu Lorchens Diensten das wenigste, was Sie begehren können.

CHRISTIANCHEN. Nein, es ist kein Vermögen. Ich wünschte, daß Sie — — —

SIMON. O sagen Sie doch, was Sie wünschen; Ich bitte Sie von Herzen.

CHRISTIANCHEN. Ich wünschte, — — Nein ich kann es nicht sagen. Ich möchte Lorchen oder Sie mit meiner Aufrichtigkeit beleidigen.

LORCHEN. Fürchten Sie nichts. Ich kenne Ihr redlich Herz. Entdecken Sie uns Ihr Verlangen, die Mamma möchte sonst kommen.

CHRISTIANCHEN. Herr Simon, Sie sollen das Herz, das Sie mir geben wollten, — — —

SIMON. Lorchen geben?

CHRISTIANCHEN. Ach ja. Thun Sie es doch. Sie ist Ihrer viel würdiger, als ich bin. Ich bin zu jung. Ich habe wenig Lebensart. Aber Lorchen — — Ach wenn doch mein Bitten — — —

SIMON. Hören Sie wohl, mein liebstes Lorchen, was Ihre gute Freundinn sagt?

LORCHEN. Ich bin über diese unschuldige Aufrichtigkeit so gerührt, daß ich gehen muß, wenn Sie nicht die Zeichen meiner Schwachheit in meinen Augen sehen sollen.

CHRISTIANCHEN. Ach gehen Sie noch nicht.

SIMON *zu Lorchen*. Wollen Sie Christianchens Wünschen und mein Bitten statt finden lassen? Darf ich hoffen, angenehmes Kind? Verlangen Sie keine weitere Erklärung von mir. Ich bin zu zärtlich gerührt, als daß ich viel reden könnte. Mein Glück steht bey Ihnen. Und ich will es nicht meinen Bitten, sondern Ihrem freywilligen Entschlusse zu danken haben.

LORCHEN *zu Christianchen*. Dir, redliches Kind, soll ich Deinen Liebsten rauben? Dieses kannst Du mir zumuthen?

CHRISTIANCHEN. Ach! wenn ich Sie nur glücklich machen könnte. Sie haben ja weit mehr Verdienste, als ich. Ich bin noch zu jung, und ich gönne Herr Simonen niemanden, als Ihnen. O! wenn ich doch die Freude erleben sollte! Gott weis es, daß ichs aufrichtig meyne.

SIMON *zu Lorchen*. Entschliessen Sie sich! Doch nicht sowol nach meinem, als nach Ihrem Gefallen. Fragen Sie Ihr Herz, ob Sie mich lieben können. Ich liebe Sie und wünsche nichts, als Ihnen zeitlebens meine Liebe zu beweisen.

FERDINAND *zu Lorchen*. Lassen Sie uns doch glücklich nach Hause reisen. Wie vergnügt wird unsre Reise seyn, wenn wir Ihre Gewogenheit, und noch mehr, Ihr Jawort mit uns nehmen.

LORCHEN. Gott! was ist dieses für ein Ausgang! Wenn habe ich an
eine Heyrath gedacht, und wenn habe ich meiner besten Freundinn
einen liebenswürdigen Mann entziehen wollen? Herr Simon, überlegen Sie meine Umstände wohl. Mein Herz ist mein Reichthum,
sonst besitze ich nichts.

CHRISTIANCHEN. Ich will die Mamma bitten. daß sie Ihnen von
meinem Vermögen etliche tausend Thaler giebt.

LORCHEN. Mein Kind, sey stille. Sonst bringt mich Deine Aufrichtigkeit zu der äussersten Wehmuth.

SIMON. Wenn Sie kein ander Bedenken haben, als Ihre Umstände:
So bin ich glücklich. Ihr Verstand und Ihre Tugend ist kostbarer,
als alle meine Reichthümer. Und warum schützen Sie Ihre Umstände vor? Besitzen Sie nicht ein Capital, das ich Ihnen vorhin
geschenkt habe? Soll ich hoffen, liebstes Lorchen?

LORCHEN. Ja. Ich überlasse Ihnen mein Herz und bitte um das
Ihrige; aber, bey allem meinem Glücke, mache ich meine beste
Freundinn vielleicht unglücklich.

CHRISTIANCHEN. Nein, nein, gutes Lorchen. Bringen Sie es nur so
weit, daß Herr Ferdinand mich zu sich nach Berlin nimmt, und
daß er mir die Erlaubniß von meiner Mamma schafft, Sie dahin
zu begleiten, damit ich zuweilen um Sie seyn, und von Ihnen
lernen kann.

LORCHEN. Das ist eben mein Wunsch, Sie bey mir zu sehen. Ach
wenn doch Ihre Mamma in ihrem Leben nur einmal gütig seyn
wollte.

SIMON. Ich will es durch meine Freunde in Berlin gewiß so weit
bringen.

FERDINAND *zu Christianchen*. Ich verspreche Ihnen, daß ich nicht
eher ruhe, bis Sie Ihren Aufenthalt bey mir und meiner Frau
haben. Es soll alles zu Ihren Diensten seyn, und ich will mit
Ihnen, als mit meiner Tochter umgehen.

CHRISTIANCHEN. Nun bin ich glücklich. Aber, Herr Simon, wenn
wollen Sie Lorchen abholen?

SIMON *zu Lorchen*. Darf ich bitten, daß Sie mich itzt gleich nach
Berlin begleiten: So will ich noch einige Tage hier warten.

LORCHEN. Ja. Ich folge Ihnen, wohin Sie wollen, wenn meine
Christiane mit mir ziehen darf.

CHRISTIANCHEN. Ich will gehen, und meine Mamma bitten.

SIMON. Ich will indessen mit Herr Ferdinanden in das Porcellangewölbe gehen, und einen Aufsatz von gutem Porcellan aus-
nehmen, und ihn der Mamma herschicken: So wird sie das Caffeeschälchen und ihren Zorn gegen mich schon vergessen. *Zu
Lorchen:* So sind Sie denn meine Braut?

LORCHEN. Ich bin die Ihrige und vollkommen glücklich, wenn ich
mir Ihre Liebe Zeitlebens erhalten kann. Und Morgen bin ich
schon bereit, Ihnen zu folgen.

CHRISTIANCHEN. Sehen Sie, mein liebes Lorchen, dieses ist die
Belohnung für Ihren Verstand und für Ihr edles Herz. Meine
Mamma hat Ihnen viel Verdruß gemacht. Vergeben Sie es ihr,
und vertreten Sie an mir die Stelle einer Mutter. Kommen Sie, wir
müssen doch mit ihr reden.

Ende des zweyten Aufzugs.

DRITTER AUFZUG.

Erster Auftritt.

Frau Richardinn. Christianchen.

Frau Richardinn. Ich sage dirs, denke nicht mehr an ihn. Ehe dich Simon zur Braut bekommen soll: Ehe will ich selber ins Oberconsistorium gehen. Ich würde mich noch im Grabe umwenden, wenn ich dich nicht besser versorgt wüßte. Einen solchen Schwiegersohn möchte ich haben, der kein Gewissen, keine Religion hat; der in meiner Gegenwart den Teufel flucht, der mir mit Fleiß ein Caffeeschälchen zerbricht.

Christianchen. Liebe Mamma, mit Fleiß wird ers wohl nicht gethan haben. Für so schlimm halte ich ihn nicht.

Frau Richardinn. Wie? Du unterstehst dich noch, ihn zu vertreten, ihn zu entschuldigen? Was heißt das anders, als daß du ihn haben willst? Ungehorsames Kind! Ich will dich enterben, ich will dich aus dem Hause stossen, ich will nichts mehr von dir hören und wissen. Seht doch, Herr Simon, dein Herr Simon, wird gewiß mehr seyn, als deine Mutter? Ich bete kein Vaterunser mehr für dich, wenn du nicht von ihm abläßst.

Christianchen. Zürnen Sie doch nicht auf mich! Ich bin ja unschuldig. Ich verlange weder Herr Simonen, noch einen andern zum Manne. Sie thun mir gewiß zuviel, Mamma, wenn Sie es nur wissen sollten.

Frau Richardinn. Was soll ich denn wissen? Daß du dich schon mit ihm verschworen hast? Daß du dich von seiner schönen Larve blenden läßst? Ich werde es gewiß nicht gesehen haben, da er dich vorhin in der Nebenstube küßte? Nicht wahr, es wird dir gefallen haben? Hättest du ihm doch lieber gleich alles eingeräumt. Wer weis so, was schon geschehen ist? Du garstiges, ungezogenes Kind, du!

Christianchen. Ach Mamma, fahren Sie mir nicht so übel mit. Bedenken Sie doch, daß ich Ihre Tochter bin, und quälen Sie mich nicht mit einem so unverdienten Verdachte. Ich kann mich nicht anders, als durch Thränen entschuldigen.

FRAU RICHARDINN. Ja, nur geweint! So machen sie es alle, wenn
sie kein gut Gewissen haben. Bist du ihm nicht vor einer Stunde
noch selber nachgelaufen? Ist das eine Aufführung für eine wohl-
gerathne Tochter? Du wirst gewiß nicht Zeit genug zu einer
Heerde kleiner Kinder kommen? *Christianchen will fortgehen.*
Nein, bleib hier! Du willst meine Vermahnungen nicht länger
anhören? Du willst mir nicht folgen? Ins Zuchthaus mit solchen
ungerathnen Rangen, ins Zuchthaus und statt des Mannes den
Spinnrocken in den Arm!

CHRISTIANCHEN. Aber Mamma, ich habe ja nichts gethan. Ich bin
ja ohne alle Schuld.

FRAU RICHARDINN. Wie? du kannst mir noch widersprechen? Weist
du das vierte Gebot nicht mehr? Wer das vierte übertritt, der
übertritt auch das fünfte; denn er schlägt, durch seinen Unge-
horsam seine armen Ältern tod. Willst du deine Mutter mit aller
Gewalt um das Leben bringen, damit du nach deinem Willen
schalten und walten, und mein sauererworbnes Vermögen einem
tollen Manne an den Hals hängen kannst? Ich unglückselige
Mutter! Willst du deinen Simon noch nehmen? Sage nur ja, oder
nein.

CHRISTIANCHEN. Nein, ich verlange ihn in Ewigkeit nicht.

FRAU RICHARDINN. Nun so gieb mir die Hand darauf: So soll alles
vergessen seyn. Also willst du ihn nicht lieben?

CHRISTIANCHEN. Nein.

FRAU RICHARDINN. Also versprichst du mir, ihn Zeitlebens zu
hassen.

CHRISTIANCHEN. Ach warum soll ich ihn denn hassen? Er hat mir
ja nichts gethan. Es ist ja wider die Bibel, daß man einen hassen
soll.

FRAU RICHARDINN. Wider die Bibel? Das ist eine schöne Antwort.
Wer wird die Schrift besser verstehen, die Mutter, die seit vierzig
Jahren alle Tage eine Stunde darinn gelesen hat, oder das Töchter-
chen, das kaum seit sechs Jahren lesen kann? Du unverständiges
Kind! Ich will es haben, du sollst ihn hassen, weil ich ihn hasse.
Ein Mensch, der flucht und schwört, der nichts zu einem Kirchen-
geschenke geben will, den, trägst du Bedenken, zu hassen? Den
willst du wohl gar noch lieben? Habe ich deswegen den alten
Magister sieben Jahre zu dir ins Haus kommen lassen, daß du im
Christenthume nicht besser unterrichtet bist? Ich arme Frau! So
viel Schulgeld umsonst hinaus zu werfen! Du sollst ihn hassen,
das ist genug. Gehe mir aus den Augen. *Christianchen geht ab.*

Zweyter Auftritt.

FRAU RICHARDINN. LORCHEN.

LORCHEN. Herr Simon läßt — — —

FRAU RICHARDINN. Herr Simon mag hingehen, wo er hingehört. Bey
mir hat er nichts zu schaffen. Wollen Sie nunmehr die Unterhänd-
lerinn werden? Wollen Sie meine Tochter auf Ausschweifungen führen, wenn sie nicht von sich selber darauf gerathen kann?
Das gefällt mir. Zum beten und singen zwingen Sie meine Tochter
nicht; aber zur Liebe. Das schickt sich für ein lediges Frauenzimmer, die von nichts, als Unschuld, wissen und reden sollte.
Wenn sehen Sie denn dergleichen Aufführung von mir? Meine
Übungsstunden besuchen Sie nicht; aber wenn Herr Ferdinand
und Herr Simon da sind: So — — Ich mag nichts weiter sagen.

LORCHEN. Frau Richardinn, ich habe Sie mit Fleiß ausreden lassen,
um mein Verbrechen zu hören; allein ich weis bis diese Stunde
noch nicht, warum Sie so ungehalten auf mich sind. Meynen Sie
denn, daß ich Christianen verführe? Diese Beschuldigung ist zu
entsetzlich, als daß ich Ursache hätte, mich deswegen zu vertheidigen. So lange mir mein Herz keine Vorwürfe macht: So
werde ich die Ihrigen mit Gelassenheit, oder doch wenigstens
mit Stillschweigen, anhören.

FRAU RICHARDINN. Nur fein höhnisch! Nur mit einer frommen
alten Frau noch gespottet! Bin ich gut genug, daß Sie mich ins
Gesichte Lügen strafen? Ist das der Dank für eine Sorgfalt, die
Sie dreyzehn Monate in meinem Hause genossen haben? Ich
werfe Ihnen meine Wohlthaten nicht vor, so unverschämt bin ich
nicht. Ich vergesse es, daß Sie so lange in meinem Hause Brod
gehabt haben; aber daß Sie es vergessen, das ist nicht recht.
Undank aller Laster Anfang und Fortgang! Ich habe meinem
eignen Maule den Bissen abgedarbt, damit ich — —

LORCHEN. Ich bitte Sie um des Himmels willen, Frau Richardinn,
martern Sie mich nicht mit solchen entsetzlichen Vorwürfen. Ich
habe ja für den Unterhalt, den Sie mir zeither gegönnt haben,
die Aufsicht im Hause geführt. Sie haben es ja selber verlangt,
daß ich zu Ihnen ziehen sollte. Gesetzt, Sie hätten mir mehr
erwiesen, als ich verdiente: So haben Sie sich doch den Augenblick für alle Wohlthaten bezahlt gemacht, da Sie mir alle vor-
geworfen haben. Wenn ich Ihrer Güte unwerth gewesen bin: So
bin ich bestraft genug, daß ichs anhören muß, ohne mich recht-
fertigen zu dürfen. Ich will Ihnen weiter keine Unruhe machen.

Erlauben Sie mir, oder befehlen Sie mir vielmehr, daß ich Ihr Haus noch heute verlassen soll. Es soll gewiß an meinem Gehorsame nicht fehlen.

FRAU RICHARDINN. Seht doch! Gleich den Stuhl vor die Thüre gesetzt! Ein nackend Mädchen, die in ihrem Leben nichts, als ein paar weltliche Augen, und ein paar weisse Hände hat, die darf auch so trotzig thun. Ich habe noch keinen gesehen, der sich aus Liebe zu Ihr um das Leben bringen wollen. Sage Sie mir doch, worauf Sie so stolz thut?

LORCHEN. Ich bin nichts weniger, als stolz. Sie haben Recht, wenn Sie mir meine Armuth vorrücken. Es ist auch wahr, daß ich noch keinen Mann habe; allein beydes fällt mir sehr erträglich. Indessen kann ich Sie aufrichtig versichern, daß ich in kurzer Zeit einen liebenswürdigen Mann und ein grosses Vermögen besitzen wollte, wenn ich mich entschliessen könnte, weniger großmüthig zu handeln.

FRAU RICHARDINN. Wer ist denn der grosse Mann, der ein Mädchen mit Armuth braucht? Er muß gewiß willens seyn, ohnedem bald zum Lande hinaus zu laufen, also wird es ihm nichts verschlagen, ob er vor der Hochzeit, oder kurz darnach geht. Darf ichs nicht wissen, wer sich so sterblich in Sie verliebt hat?

LORCHEN. Ich könnte es Ihnen leicht sagen, wer mich liebte; allein ich will Sie weder dadurch kränken, noch mich damit groß machen. Weder der Reichthum, noch der Mann macht den Werth eines Frauenzimmers aus. Ein Mädchen kann arm seyn, und doch Verstand, Tugend, Lebensart und Geschickligkeit im Hauswesen haben. Machen Sie sich keine Sorge, Frau Richardinn, ich habe das Vertrauen zum Himmel, daß ich, so lange ich lebe, genug haben werde, denn ich brauche nicht viel, und also verlange ich auch nicht viel.

FRAU RICHARDINN. Mache Sie sich immer nicht so groß. Ich dächte, es ließe sich mit Ihrem Verstande noch halten. Von Ihrer Tugend mag ich nicht reden. Ich kann niemanden in das Herz sehen. Ihre Lebensart, ich wills Ihr kurz sagen, ist unwiedergebohren; versteht Sie mich? Hält Sie eine solche Lebensart wohl für gut? Ich bitte Sie sehr, mache Sie sich nur nicht zu einer keuschen Susanna, zu einer andächtigen Maria, und zu einer geschäfftigen Martha. Ist Sie nicht undankbar gegen mich? Und kann der Undank und die Gottesfurcht beysammen seyn? Mit Ihrer Wirthschaft sah es wohl auch nicht so richtig aus, als ich Sie zu mir ins Haus nahm. Wer weis, ob Sie wußte, daß man die harten Eyer nicht salzen darf, wenn man sie zum Feuer setzt? Sey Sie doch nicht so stolz, und wenn Sie in ihrem Leben noch nichts von mir gelernet hat; So lerne Sie nur dieses, daß der Hochmuth vor dem Falle kömmt.

LORCHEN. Sie sehen ja wohl, was ich von Ihnen gelernet habe. Wo nähme ich die Geduld her, die größten Beschimpfungen ruhig anzuhören, wenn ich sie nicht in Ihrem Hause gelernet hätte. Was übrigens die Tugend anlangt, die Sie mir absprechen, (denn von dem Verstande und der Wirthschaft will ich nicht reden): So nimmt michs nicht Wunder. Ich bin freylich nicht so fromm, als Sie sind. Und wie sollte ich zu dem Glücke kommen, daß Sie mich für tugendhaft hielten, da Sie in der Welt keinen Menschen für fromm halten, als Ihre eigene Person. Doch, Frau Richardinn, Sie haben mich, dächte ich, genug ausgescholten. Ich werde Ihnen nun wohl weiter zu Ihrer Erbauung nicht nöthig seyn. Ich will auch den Augenblick gehen; haben Sie nur die Güte und hören Sie, warum ich hergekommen bin. Herr Simon läßt Ihnen — —

FRAU RICHARDINN. Um mich recht zu erbittern, so fängt Sie wieder von Simonen an, und ich habe es Ihr doch gesagt, daß ich weder seinen Namen, noch seine Person leiden kann. Ist Sie nicht selber Schuld, wenn mir ein Wort im Zorne entfährt? Bringt Sie mich nicht um alle Seelenruhe?

LORCHEN. Nein, Frau Richardinn. Ich glaube, es wird zu Ihrer Beruhigung dienen, was ich Ihnen zu sagen habe. Hören Sie mich nur an! Herr Simon läßt Ihnen sein Compliment machen.

FRAU RICHARDINN. Er mag sein Compliment für sich behalten. Von einem Flucher nehme ich keinen Gruß an. Er ist ein ehr-vergeßner Mann, ich will ihn nicht geschimpft haben.

LORCHEN. Er hat einen grossen porcellanen Aufsatz hergeschickt, und läßt bitten, daß Sie ihn, für das zerbrochene Caffeschälchen, annehmen sollen. Geben Sie sich doch zufrieden, ich glaube, daß der Aufsatz über funfzig Thaler werth ist.

FRAU RICHARDINN. Nicht doch! Er wird mich gewiß wieder gut machen wollen. Denkt denn Herr Simon, daß mir so viel an zeit-lichen Gütern liegt? Hält er mich denn für so eigennützig, daß ich ein Caffeeschälchen nicht vergessen kann? Ich dürfte den Aufsatz bald nicht annehmen. Wie hoch halten Sie ihn denn, mein liebes Lorchen?

LORCHEN. Ich glaube gern, daß er funfzig bis sechzig Thaler kostet. Er ist von dem feinsten Porcellan, und die Tassen haben alle Henkel.

FRAU RICHARDINN. Henkelchen? Das ist ja recht hübsch. Nun weil die Schälchen Henkelchen haben: So will ich das Geschenk annehmen. Er wird mirs doch aus gutem Herzen schicken, und da wäre es wohl Sünde, wenn ichs ausschlüge. Ist denn der Bediente von Herr Simonen noch da?

LORCHEN. Ja, er wird noch zugegen seyn, wenn Sie mit ihm reden wollen.

FRAU RICHARDINN. Nein, mein liebes Lorchen, ich möchte mich nicht gern vor ihm sehen lassen. Wenn ich mit ihm rede: So müßte ich ihm doch ein Trinkgeld geben, und der arme Mensch könnte nachmals bey seinem Herrn Verdruß davon haben, daß ers angenommen hätte.

LORCHEN. Er nimmt nichts, ich habe ihm schon etwas angeboten.

FRAU RICHARDINN. Sollte er nichts nehmen? Wenn ich nur klein Geld hätte, ich wollte ihm doch ein paar Dreyer zu einer Kanne Bier geben. Denn wenn man ihm wenig giebt: So kann es sein Herr doch nicht übel nehmen, als wenn man ihm etwan einen halben Gulden gäbe. Es ließe, als wollte man das Geschenke bezahlen.

LORCHEN. Machen Sie sich keinen Kummer, Frau Richardinn; der Bediente des Herrn Simons wird ein paar Dreyer nicht so nöthig brauchen.

FRAU RICHARDINN. Ja, das denke ich auch. Ich muß doch gehen, und mit ihm reden. Es dauert mich, daß ich ihm nichts geben darf. Wenn ich nur einzeln Geld hätte!

LORCHEN. Es ist nicht nöthig, doch wenn Sie ihm etwas geben wollen: So werden auf dem Fenster in der kleinen Stube noch etliche Groschen von dem Marktgelde liegen, die können Sie ihm geben.

FRAU RICHARDINN. Marktgeld! das möchte ich nicht gern angreifen. Es ist immer, als wenn kein Seegen bey dem Ausgebegelde wäre, wenn man etwas davon nimmt. Sind es denn gute Accisgroschen?

LORCHEN. Nein, es ist nur gemein Ausgebegeld.

FRAU RICHARDINN. Das ist Schade. Nein, gemein Geld will sich für einen solchen Bedienten nicht schicken. Es muß also bleiben.

LORCHEN. Vielleicht liegen auch etliche Accisgroschen dabey. Ich weis es nicht so genau.

FRAU RICHARDINN. Aber, mein liebes Lorchen, es läßt mit dem guten Gelde auch nicht. Es sieht aus, als ob man kein Ausgebegeld in seiner Haushaltung hätte, das möchte ich doch auch nicht von mir gesagt wissen. Ich will ihm lieber nichts geben: So kömmt der arme Mensch nicht in Verdruß. Was will denn Christiane? Diese könnte an meiner Statt den Bedienten abfertigen.

Dritter Auftritt.

DIE VORIGEN. CHRISTIANCHEN.

CHRISTIANCHEN. Ach liebe Mamma, zürnen Sie doch nicht mehr auf Herr Simonen. Er hat Ihnen recht viel schöne Sachen hergeschickt, recht sehr schöne Sachen.

FRAU RICHARDINN. Ist sein Bedienter noch da?

CHRISTIANCHEN. Nein, er sagte, er könnte nicht warten. Ich habe mich in Ihrem Namen bey Herr Simonen bedanken lassen.

FRAU RICHARDINN. Nun, das ist ja recht gut, daß du den Bedienten nicht aufgehalten hast, er möchte sonst bey seinem Herrn Ungelegenheiten davon gehabt haben. Er ist doch auch gewiß wieder fort?

CHRISTIANCHEN. Ja, er ist fort. Herr Simon ließ zugleich Abschied von Ihnen nehmen, wenn er Sie etwan nicht wieder sehen sollte.

FRAU RICHARDINN. Der artige Mensch! Warum will er denn ohne Abschied fortgehen? Ich muß ja wegen deiner Heyrath mit ihm sprechen. Schicke doch zu ihm, und laß ihn herbitten.

CHRISTIANCHEN. Mamma, Herr Simon will mich nicht haben.

FRAU RICHARDINN. Ach! Warum wird er dich denn nicht haben wollen? Du bist ein einfältiges Kind, du verstehst es nicht. Warum hätte er denn ein so kostbar Präsent hergeschickt, wenn er dich nicht zur Frau verlangte? Nicht wahr, mein liebes Lorchen, Sie sind auch meiner Meynung?

LORCHEN. Ja, in diesem Stücke bin ich völlig Ihrer Meynung.

CHRISTIANCHEN. Aber Mamma, Sie haben mir ja verbothen, Herr Simonen zu lieben. Sie wiedersprechen sich ja selber.

FRAU RICHARDINN. Nein, ich wiederspreche mir nicht. Vorhin habe ich dir verbothen, ihn zu lieben, und nunmehr gebiethe ich dir, ihn zu nehmen. Er ist ein ganz hübscher Mensch, bey dem du keine Noth haben wirst, wenn du sie dir nicht selber machst.

Christiane, siehe hinaus, ob der Bediente etwan noch da ist. Ich muß doch die vielen Sachen ansehen, die ich zum Geschenke bekommen habe. Herr Simon muß gewiß ein recht gutes Herz haben, das seinen Fehler bald bereut. Je nun! Wie wir Menschen sind! Ich spreche immer, wir haben alle unsere Fehler, nur einer vor dem andern. Wir müssen Geduld mit einander haben. Der Satan ist ein Tausendkünstler. Wie bald kann er uns nicht verführen, drum bete fleißig, meine liebe Christiane! Hörst dus? Bete und singe!

CHRISTIANCHEN. Es liegen bey dem Porcellan auch etliche geistliche Bücher, ich denke, das eine hieß Scrivers Seelenschatz. Herr Simon ließ bitten, Sie sollten es nicht übel nehmen, daß sie nicht eingebunden wären, er hätte sie gebunden nicht bekommen können.

FRAU RICHARDINN. Warum giebt er denn das Geld für Bücher aus? Ich habe Bücher genug, und ich bleibe bey den Büchern, an die ich mich von Jugend auf gewöhnet habe. Scrivers Seelenschatz! Es mag ganz ein hübsches Buch seyn. Doch worzu brauche ichs? Wieviel muß es denn kosten? Vielleicht nimmt es mein Herr Gevatter, der Buchführer, für ein billiges von mir an. Nunmehr wird der Bediente wohl fort seyn. Ich will die Sachen ansehen. Christiane, bleibe du hier bey Lorchen, wenn etwan Herr Simon noch einmal herschicken sollte.

Vierter Auftritt.

LORCHEN. CHRISTIANCHEN.

CHRISTIANCHEN. Ach mein liebes Lorchen, ich habe Ihrentwegen eine ganze Viertelstunde die bittersten Thränen vergossen. Ich stund an der Thüre, und hörte zu, wie übel Ihnen die Mamma begegnete. Sie meynen es so aufrichtig mit mir, und meine Mamma kann Ihnen vorwerfen, Sie verführten mich. Lassen Sie michs nicht entgelten, meine liebe Freundinn. Herr Simon wird Ihnen tausendmal mehr Vergnügen schaffen, als Ihnen meine Mamma Verdruß gemacht hat. Sie nehmen mich doch noch mit nach Berlin?

LORCHEN. Ja, meine liebe Christiane, wir reisen gewiß mit einander. Ihre Aufrichtigkeit wird mich zu allem in der Welt geschickt machen, was Sie nur von mir verlangen. Ich will Ihnen mit allem dienen, was in meinem Vermögen ist.

CHRISTIANCHEN. Wollen Sie denn auch meiner Mamma vergeben, daß Sie so sehr von ihr sind beleidiget worden?

LORCHEN. Ja, mein Kind. Wir müssen stets so fertig zum vergeben seyn, als es andere sind, uns zu beleidigen. Und wenn kein Mensch in der Welt mehr großmüthig wäre: So wollen wir es beide seyn. Bittere Beschuldigungen anzuhören, ist eine grosse Marter für ein ehrliebendes Herz; allein sie nicht verdienet haben, ist ein weit grösseres Vergnügen. Ich kann Ihre Mamma nicht besser bestrafen, als daß ich das alles bleibe, oder das werde, wofür sie mich nicht hält. Sie denkt, ich meyne es nicht gut mit Ihnen. Doch sie wird erschrecken, wenn es der Ausgang zeigt, daß ich Ihr Glück dem meinigen vorgezogen habe.

CHRISTIANCHEN. Wie werden wir es aber anfangen, daß mich meine Mamma mit Ihnen reisen läßt? So bald sie hören wird, daß Sie Herr Simons Braut sind: So wird sie wieder böse werden, und mich nicht reisen lassen.

LORCHEN. Dafür lassen Sie mich sorgen. Eins bitte ich Sie nur; wenn Herr Simon kömmt, und er wird bald da seyn: So thun Sie nicht so furchtsam gegen ihn. Es fehlt Ihnen nicht an dem Vermögen, zu reden. Sie sind nur zu schüchtern, und benehmen sich durch Ihre Furcht die Sprache. Herr Simon ist nicht mehr Ihr Bräutigam, sondern der meinige; Also können Sie schon etwas freyer und ungezwungener mit ihm umgehen. Wollen Sie es thun, mein liebes Kind?

CHRISTIANCHEN. Ja! ich will recht aufrichtig und vertraut mit ihm reden. Aber werde ich nicht die Freundschaft beleidigen, wenn ich gegen Ihren Bräutigam freundlich thue? Ich bin ihm nunmehr recht herzlich gut, weil er so aufrichtig war, und mein Bitten erfüllte, und Ihnen sein Herz schenkte. Er muß von Natur recht gütig und liebreich seyn. Wie gut werden Sie nicht mit ihm auskommen. Die Mamma konnte mir vorhin zumuthen, ich sollte ihn hassen, weil sie ihn haßte; aber das thue ich in meinem Leben nicht.

LORCHEN. Nein, hassen Sie ihn nicht. Lieben Sie ihn, als Ihren Freund. Je mehr Sie ihn werden kennen lernen, desto liebenswürdiger wird er Ihnen vorkommen.

CHRISTIANCHEN. Aber wenn er mich wieder küssen wollte, das darf ich ihm wohl nicht mehr erlauben, weil ich nicht mehr seine Braut bin. Er wird es auch wohl nicht thun.

LORCHEN. Diesen kleinen Eintrag in meine Rechte will ich Ihnen herzlich gern erlauben. Schlagen Sie ihm einen Kuß nicht ab,

wenn er Sie darum bitten sollte. Sie sind ihm dieses Vergnügen
für seine Liebe noch schuldig. Aber, mein liebes Kind, machen
Sie auch, daß ich nicht zu viel dabey verliere. Sie sind schöner
und reizender, als ich.

CHRISTIANCHEN. Fürchten Sie nichts. Ich will lieber gar nicht mit
ihm reden, wenn ich Ihnen etwan gefährlich seyn sollte. Ich
dächte nicht, daß ich eben so schön wäre. Gefalle ich Ihnen denn,
mein liebes Lorchen?

LORCHEN. Sie gefallen mir, und, wenn ich nicht irre, auch Herr
Simonen mehr, als zu sehr. Wie lange wird es werden; So bringen
Sie mich um meinen Bräutigam.

CHRISTIANCHEN. Quälen Sie mich nicht. Wie dächten Sie, daß ich
zu so einer Bosheit geschickt wäre. Ach nein, ich bin Herr Simonen gewogen, weil er Ihnen gewogen ist, und ich habe nunmehr das größte Vertrauen zu ihm.

LORCHEN. Wenn ich nun etwan bald sterben sollte, wollten Sie
mirs wohl versprechen, ihn nach meinem Tode zu heyrathen?
Was meynen Sie?

CHRISTIANCHEN. O denken Sie doch nicht an den Tod. Ich höre
gar nicht gern von dem Sterben reden. Der Himmel lasse Sie noch
lange leben.

LORCHEN. Aber wenn ich nun bald sterben sollte, wollten Sie ihn
alsdenn lieben?

CHRISTIANCHEN. Ja, weil Sie ihn geliebt haben, und weil er Sie
geliebt hat, so würde ich ihn auch lieben, und auch zu meinem
Manne nehmen. Lassen Sie aber die Gedanken vom Tode fahren,
Sie machen sonst mich und Herr Simonen betrübt.

Fünfter Auftritt.

DIE VORIGEN. FERDINAND.

FERDINAND. Nun, wie stehts um unsre Sachen? Hat sich meine
Frau Muhme bald zufrieden gegeben? Sie hat in unser Quartier
geschickt, und uns wieder herbitten lassen. Ich weis nicht, was
wir sollen, ob sie uns vielleicht noch einige Grobheiten sagen
will, die ihr in der Hitze nicht gleich beygefallen sind. Herr Simon
wird gleich auch zugegen seyn.

LORCHEN. Meine liebe Christiane, gehen Sie doch, und empfangen
Sie Herr Simonen. Führen Sie ihn nur gleich in Ihre kleine Stube.
Die Mamma möchte sonst empfindlich werden, wenn er erst zu
mir käme. Aber thun Sie mir nicht gar zu freundlich mit ihm, ich
sage es Ihnen. Mehr, als drey oder viermal, dürfen Sie sich nicht
küssen lassen. Kommen Sie nur her, ich will Ihnen ein Mäulchen
geben, das können Sie Herr Simonen in meinem Namen wieder-
geben: so behalten Sie doch ein gut Gewissen.

CHRISTIANCHEN. Nein, das muthen Sie mir nicht zu. Ich weis nicht,
warum Sie so mit mir scherzen. Warten Sie nur, ich will mich an
Ihnen rächen, und es Herr Simonen gleich wieder sagen. Ich bin
recht froh, daß ich Sie so aufgeräumt sehe.

LORCHEN. Ja, das macht die Liebe, und Sie, daß ich so zufrieden
bin, und ich will es Ihnen nur sagen, ich möchte Sie auch gern
verliebt, und gern so glücklich machen, als ich bin.

CHRISTIANCHEN. Itzt noch nicht. Lernen Sie mir nur die Liebe erst
kennen. Wenn ich artiger bin, alsdann ist es Zeit genug. Ich höre
schon jemanden kommen, ich will gehen, es möchte Herr Simon
seyn.

LORCHEN. Geschwind, sehen Sie noch erst einmal in den Spiegel,
ob Sie auch geputzt genug sind. Herr Simon giebt auf alles acht.

CHRISTIANCHEN. Er wird nicht sehr auf mich sehen. Wenn er auf
seine Braut sieht; So kann er meine Fehler nicht wahrnehmen.

Sechster Auftritt.

LORCHEN. FERDINAND.

LORCHEN. Hörten Sie, was das lose Kind sagte? Sie kann reden,
wenn sie nur nicht so furchtsam wäre. Und sie wird in kurzer
Zeit recht aufgeweckt und manierlich werden. Sie ist noch die
bloße Unschuld.

FERDINAND. Ich habe das gute Kind niemals für einfältig gehalten.
Ich will alles zu ihrer Erziehung anwenden, und ich bin versichert,
daß sich der klügste Mann noch um sie Mühe geben soll. Wenn
sie nur aus den Händen ihrer närrischen Mutter seyn wird: So soll
sie das liebenswürdigste Frauenzimmer von der Welt werden.

LORCHEN. Ja, wir wollen gewiß für sie sorgen. Sie hat mich glücklich gemacht, und ich denke, sie bald eben so glücklich zu machen.
Da kömmt die Frau Muhme. Sieht sie doch so freundlich aus, als
wenn sie zehn Thaler in der Lotterie gewonnen hätte.

Siebenter Auftritt.

Die Vorigen. Frau Richardinn.

FRAU RICHARDINN. Willkommen, lieber Herr Vetter, willkommen!
Es ist alles vergessen. Vergebet, so wird euch vergeben! Mein
liebes Lorchen, seyn Sie so gut, und lassen Sie Anstalt machen,
daß Herr Simon und der Herr Vetter diesen Abend einen Bissen
Brod bey uns essen können. Ich muß doch heute meine geistliche
Übungsstunde eingehen lassen, da ich so liebe Freunde bey mir
habe. Herr Simon ist bey meiner Tochter. Sie mögen immer mit
einander allein reden, ich will es ihnen nicht wehren. Sie sind
doch vor Gott schon Eheleute. *Lorchen geht ab.*

Achter Auftritt.

Frau Richardinn. Ferdinand.

FERDINAND. Frau Muhme, denken Sie denn, daß Herr Simon
Christianchen noch heyrathen wird? Ich glaube es nicht. Sie
haben ihm ja den ganzen Handel aufgesagt.

FRAU RICHARDINN. Was reden Sie doch? Machen Sie mir das Herz
nicht schwer. Nein, nein, meine Tochter ist ein ganz hübsches
Mädchen, und Herr Simon ein hübscher Mann. Sie haben auch
alle beide Geld, und also können sie einander schon heyrathen.

FERDINAND. Ja, es gienge an, und es wäre angegangen; allein Sie
habe ja alles rückgängig gemacht. Herr Simon hat sich zu einer
ganz anderen Heyrath entschlossen. Denken Sie denn, daß er sich
so unhöflich begegnen läßt? Es ist ein angesehener geschickter
Mann. Er bekömmt zehn Weiber aus den vornehmsten Häusern,
wenn er sie nur haben will.

FRAU RICHARDINN. So? Also hat er meine Tochter nur in die Rede
bringen wollen? Also will er sie sitzen lassen, der gottlose Mensch?
Und mich arme Frau vor der Zeit unter die Erde bringen? Solche
Leute kann Er mir ins Haus führen, Herr Vetter, und fürchtet
sich der Sünde nicht? Ich arme Wittwe! Ja, ja, arme Wittwen zu
unterdrücken, das ist der Weltlauf.

FERDINAND. Was reden Sie wieder, Frau Muhme? Warum heissen
Sie Herr Simonen einen boshaften Mann, und warum beleidigen
Sie mich? Haben wir denn nicht beide die redlichsten Absichten

gehabt? Und sind Sie denn nicht selbst Schuld, daß Herr Simon
von Christianchen abläßt?

FRAU RICHARDINN. Was? Ablassen will er? Nein, nun und nimmermehr, und wenn mein ganzes Vermögen darauf gienge. Es müßte
keine Gerechtigkeit mehr im Lande seyn. Ich will gehen, so weit
mich meine Füsse und mein Gebet tragen. Ich will dem Lands-
herrn einen Fußfall thun. Ich will mir und meiner Tochter Recht
schaffen. Ich will zu Gott um Rache schreyen; ich will beten, daß
es dem ehrlosen Simon nimmermehr wohlgehen soll. Ich
will — — Ich arme Frau! Ja alles dieses will ich thun.

FERDINAND. Frau Muhme, ich weis gar nicht, wie Sie mir vorkommen? Können Sie denn nicht gelassen mit mir reden? Ich
gehe den Augenblick aus Ihrem Hause, wenn Sie mir noch ein
empfindliches Wort sagen. Ich kann Ihren Wandel und Ihre
vielen Betstunden gar nicht zusammen reimen. Wenn man Sie
reden und schmähen hört: So sollte man glauben, Sie hätten keine
Religion, ausser die Sie sich selber gemacht hätten. Und gleichwohl reden Sie so viel von Ihrer Andacht. Doch ich will billig
seyn, und Ihre Ausschweifungen einer natürlichen Hitze und
starken Wallung des Geblüts zuschreiben. Allein glauben Sie ja
nicht, daß ich und Herr Simon Ihren Zorn anhören müssen. Der
Weg, den wir hergekommen sind, steht uns alle Augenblicke
wieder offen.

FRAU RICHARDINN. Lieber Herr Vetter, *sie weint* was soll ich aber
anfangen? Nehmen Sie sich doch einer armen Wittwe an. Rathen
Sie mir doch. Herr Simon, ein so steinreicher Mann, der fast eine
Tonne Goldes im Vermögen hat, der will meine Tochter, meine
einzige Tochter nicht haben? Ach gerechter Himmel! Sie hat ja
auch auf 30000 Thaler. Sie ist ja jung, und schön, und christlich
erzogen. Sie hat ihm ja vor ein paar Stunden angestanden. Warum
will er sie denn itzt nicht haben?

FERDINAND. Weil Sie gesagt haben, daß er sie nicht werth wäre;
daß er sie mit Ihrem Willen nimmermehr bekommen sollte. Kurz,
weil Sie ihm die größten Grobheiten unter die Augen gesagt
haben.

FRAU RICHARDINN. Aber, ich habe es so böse nicht gemeynt. Ich
will meine Sünde noch heute verbeten. Ich will Herr Simonen die
versprochenen fünftausend Thaler gleich mitgeben. Ich will ihn
von nun an für einen frommen christlichen Menschen halten,
und ihn alle Tage in mein Gebet einschliessen. Ich will auch die
Reisekosten bis Berlin für meine Tochter tragen. Ach so gewissen-
los wird er nicht seyn, daß er meine arme Tochter im Stiche lassen

sollte. Was würde die böse Welt davon sagen? Würde sie die
Schuld nicht auf mich schieben?

FERDINAND. Auf diese Art würde die böse Welt zum erstenmale
wahr reden. Denn sind nicht Sie an allem Ursache? Die gute
Christiane dauert mich selbst. Sie hätte in der Welt keinen bessern
Mann bekommen können, als Herr Simon ist. Sein Reichthum
ist das wenigste, was ich an ihm hoch schätze. Sein Verstand und
sein redliches Herz sind weit grössere Schätze.

FRAU RICHARDINN. Ja doch! Sein Verstand und sein christliches
Herz, das ist es eben, warum ihn meine Tochter nehmen soll.
Und wenn er aller Welt Reichthümer besäße, und hätte nicht so
viel Religion: So bekäme er sie nimmermehr. Der liebe Mann
hat mir mit allerhand geistlichen und erbaulichen Büchern ein
Geschenk gemacht. Ja, wenn er mir eine Grafschaft geschenket
hätte, er hätte mir keinen grössern Gefallen thun können. Daraus
sehe ich, daß er fromm ist, und nicht bloß an dem Zeitlichen
klebt. Meine Tochter wird bey ihm so gut aufgehoben seyn, als
bey mir selber.

FERDINAND. Liebe Frau Muhme, Sie haben zweyerley Sprachen,
und ich weis nicht, auf welche man sich verlassen soll. Eine
klingt geistlich, und die andere ziemlich weltlich. Man sollte
schwören, Sie müsten auch zwo Seelen haben; eine zum Beten
und Singen, und eine zum Richten und Schelten. Doch das
werden Sie am besten wissen. Es ist meine Profession nicht,
einen Gewissensrath abzugeben. Indessen will ich mit Herr
Simonen reden, ob sich noch entschliessen kann, Ihr Schwiegersohn zu werden. Ich zweifele sehr daran, denn er hat — — —

FRAU RICHARDINN. Ich zweifle keinen Augenblick. Ja ich will eben
daran erkennen, ob er ein rechtschaffen Herz hat, wenn er meine
Tochter nimmt. Ich kann ihm zwar bey meinem Leben nicht mit
vielem Gelde dienen, aber destomehr mit meinem Gebete, und
daran wird ihm mehr gelegen seyn, als an etlichen tausend
Thalern. Wir müssen ja alles zurück lassen, wenn wir sterben;
aber das Gebet folgt uns mit ins Grab. Die böse Welt kann mir
alles nehmen, aber die Andacht nicht. Ich arme Frau, wie lange
wird es denn noch mit mir werden! Ja, lieber Herr Vetter, wenn
Sie es nur sehen sollten, ich habe mir schon alle die Kleider zu
rechte gelegt, die ich im Sarge tragen will. So gar die Breter zu
meinem Sarge liegen schon da. Es sind feste und eichne Breter,
ich weis nicht mehr, wie viel sie mich kosten. Ich habe sie von
dem Gevatter Tischler statt der Interesse angenommen.

FERDINAND. Das ist alles gut. Ich will wünschen, daß Sie die festen Breter noch lange nicht brauchen, und sie ehe zu einem Braut- bette, als zu dem Sarge anwenden mögen.

FRAU RICHARDINN. Gott vergebe es Ihnen, Herr Vetter, daß Sie mit mir armen alten Frau so spotten. Ich könnte noch an das Heyrathen denken. Schämen Sie sich doch. Es wird indessen schlimm genug seyn, wenn meine Tochter aus dem Hause ist. Wer soll mich künftig in meinem Alter warten, und pflegen! Keinen Mann habe ich, der mir an die Hand gienge, und so einen, wie mein seeliger Herr war, kriege ich in meinem Leben nicht wieder. Nein, Herr Vetter, rathen Sie mir ja nicht, daß ich wieder heyrathen soll. Ein alter Mann ist unbehülflich, und ein junger hält mich nicht für gut, und verthut mir das Meinige. Ach, denken Sie mir nicht an diese Schwachheit. Die Breter sind zu meinem Sarge bestimmt, der soll mein Brautbette seyn.

FERDINAND. Sie haben mich nicht recht verstanden, ich meynte zum Brautbette Ihrer Jungfer Tochter. Ich würde Ihnen nicht zur Ehe rathen, Frau Muhme, da ich weis, daß Sie in sechzig sind.

FRAU RICHARDINN. Warum nicht lieber in achtzig? Ich muß am besten wissen, wie alt ich bin. Es läßt sich mit meinen Jahren noch wohl halten, und meines Alters wegen könnte ich noch lange leben, wenn mich nicht Noth und Sorge vor der Zeit ins Grab brächten. Ich bin alle Tage bereit zum Tode. Doch möchte ich nur noch einige Jahre leben, damit ich sähe, wie es meiner Tochter gienge, und ob sie mich auch mit wohlgerathenen Kin- dern erfreuen würde. Wenn sie nur nach Herr Simonen gerathen: So bin ich schon zufrieden.

FERDINAND. Frau Muhme, wir wollen noch nicht von den Kindern reden, denn es stößt sich noch an der Kleinigkeit, ob Herr Simon Christianchen zur Frau haben will.

FRAU RICHARDINN. Davon bin ich überzeugt. Ich will gehen, und den Bissen Essen zurechte machen lassen. Über Tische wollen wir die Versprechung zur Richtigkeit bringen.

Neunter Auftritt.

FERDINAND. SIMON.

SIMON. Wo ist denn meine Braut? Haben Sie noch nicht mit ihr gesprochen?

FERDINAND. Ja, ich weis nicht, welche Braut Sie meynen; die erste oder die letzte? ob Christianchen, oder Lorchen?

SIMON. Wie können Sie doch fragen? Habe ich denn eine andere Braut, als Lorchen?

FERDINAND. Bey Ihnen ist es freylich Lorchen; aber bey meiner Frau Muhme ist es Christianchen. Sie will uns zu Tische behalten, und da soll die Versprechung vor sich gehen. Und wenn Sie Christianchen nicht zur Frau nehmen: So will meine liebwertheste Frau Muhme in eigener hoher Person ins Consistorium laufen, alle ihr Vermögen daran setzen, und, wenn dieses nicht hilft, Sie durch ihr Gebet in das entsetzlichste Unglück beten.

SIMON. Die Frau weis nicht, was sie will. Sie kann thun, was ihr gefällt. Lorchen ist meine Braut, und Christianchen dauert mich. Sie hat itzt wieder mit mir gesprochen, und recht artig gethan. Sie ist wirklich nicht so wohl einfältig, als furchtsam. Sie hat recht mit mir gescherzt, und Lorchen bey mir auf eine lose Weise verklagt. Freylich hat sie mir nichts sinnreiches gesagt; aber sie wußte es doch mit einer guten Miene vorzubringen. Sie bedankte sich recht zärtlich bey mir, daß ich auf ihr Bitten Lorchen hätte zu meiner Braut erwählen wollen. Ich hätte lieber über ihre Unschuld geweinet. Doch, Herr Ferdinand, wo ist denn Lorchen? Haben Sie noch nicht mit ihr gesprochen?

FERDINAND. Hier kömmt sie gleich.

Zehnter Auftritt.

DIE VORIGEN. LORCHEN. CHRISTIANCHEN.

LORCHEN. Hat mich Christianchen bey Ihnen verklagt, Herr Simon?

SIMON. Ja wohl, meine liebe Braut, und ich wollte bitten, daß Sie sich selber eine Strafe auferlegten, damit ich es nicht in Christianchens Namen thun müßte.

LORCHEN. Das ist doch ganz artig. Sie trauen der losen Christiane, und verdammen mich, ohne mich gehört zu haben. Bey wem soll ich mich denn über Sie selbst beklagen? Bey der kleinen Christiane? Ja, ja, da würden Sie mit einer sehr leichten Strafe davon kommen.

CHRISTIANCHEN. Mein liebes Lorchen, ich habe nichts mehr gesagt, als was wahr ist. Ich hätte gern noch etwas dazu gesetzt; aber ich konnte es nicht über das Herz bringen. Ich habe Sie gar zu lieb. Ich will es Ihnen auch gestehen, daß mir Herr Simon — — — doch er mag es Ihnen selber sagen.

LORCHEN. Ich höre es schon, mein Herr Bräutigam wird Ihren kleinen Muthwillem mit etlichen Mäulchen bestraft haben, und Sie werden sich diese harte Bestrafung haben gefallen lassen. Sie sagen nichts, Herr Simon? Soll ich etwan auch stille schweigen, und Ihre erste Untreue gleich mit Gelassenheit ansehen?

CHRISTIANCHEN. O reden Sie doch nicht von der Untreue. Sie haben mir es ja selbst befohlen. Herr Simon liebt Sie von Herzen, und wir haben von nichts, als von Ihnen, gesprochen. Er hat Ihnen die größten Lobsprüche beygelegt, und ich auch. Wenn ich von Ihnen reden soll: so werde ich recht beredt.

SIMON. So, meine liebe Christiane! Immer vertheidigen Sie mich bey meiner Braut. Sie sehen wohl, daß sie eifersüchtig auf Sie ist. Aber liebste Eleonore, wir wollen die wenigen Augenblicke noch zu einigen Berathschlagungen wegen unserer morgenden Abreise anwenden. Weis es denn die Frau Richardinn, daß Sie meine Braut sind? Wird sie auch ihre Christiane mit Herr Ferdinanden reisen lassen?

CHRISTIANCHEN. Wie, Herr Simon? Ich soll nicht mit Lorchen reisen, und nur mit Herr Ferdinanden? Ist dieses Ihr Versprechen? Das hätte ich ihnen nicht zugetraut.

SIMON. Nein, mein liebes Kind, Sie reisen mit uns, und was Sie in Berlin verlangen, das soll zu Ihren Diensten stehen.

FERDINAND. Sie sollen meine Tochter seyn, und ich will Ihnen mehr halten, als ich verspreche. Ich mache mir eine Ehre daraus, ein Frauenzimmer in meinem Hause zu haben, das so angenehm und sittsam ist, als Sie sind. Sie wissen es nicht, wie liebenswürdig Sie Ihre Unschuld macht, und desto mehr verdienen Sie, hochgeschätzt zu werden. Jungfer Lorchen und meine Frau sollen alles zu Ihrem Umgange und zu Ihrem Vergnügen beytragen.

LORCHEN. Ich will nichts weiter sagen, meine liebe Christiane. Genug, Sie sollen bald sehen, daß mir Ihre Zufriedenheit so lieb, wo nicht gar noch lieber, als die meinige ist.

CHRISTIANCHEN. So wollen wir immer gehen. Die Mamma wird ganz gewiß schon mit dem Essen auf uns warten. Herr Simon und Herr Ferdinand, ich verlasse mich auf Ihren Fürspruch. Nehmen Sie es nur nicht übel, wenn die Mamma wieder verdrüßlich werden sollte. Sie meynt es nicht so böse.

SIMON *zu Lorchen.* Also kommen Sie, meine liebe Braut. Wir wollen sehen, wie wir mit der Frau Richardinn aus einander kommen. Ich habe noch für ein grösser Präsent gesorgt, sie wird sich schon befriedigen lassen.

LORCHEN. Meine liebe Christiane, gehen Sie immer voran. Wir wollen gleich nachkommen. Thun Sie nur indessen gegen die Mamma, als ob Herr Simon noch Ihr Bräutigam wäre. Wir wollen es nachdem schon machen. *Sie gehet ab.*

Elfter und letzter Auftritt.

DIE VORIGEN.

LORCHEN. Ich habe noch ein Wort mit Ihnen zu reden, Herr Simon. Sie sind so großmüthig gewesen, und haben mich zu Ihrer Braut erwählt, und ich gestehe Ihnen, daß ich mir kein grösser Glück in der Welt wünsche, als die Frau eines so edelgesinnten Mannes zu seyn. Ich gebe Ihnen hiermit die aufrichtigste Versicherung, daß ich Sie liebe. *Sie küßt ihn.* Allein ich höre auch in eben dem Augenblicke auf, die Ihrige zu seyn. Ihr Herz war nicht für mich, sondern für Christianchen bestimmt, und je mehr Vergnügen ich in der Ehe mit Ihnen genossen haben würde, desto unruhiger würde ich geworden seyn, daß ich meiner Freundinn so viel entzogen hätte. Werfen Sie mir nicht ein, daß ich zu zärtlich in der Freundschaft bin. Ich will lieber durch den Überfluß der Freundschaft fehlen, als durch den Mangel.

SIMON. Um des Himmels willen, was fangen Sie mit mir an? Wozu bringen Sie mich? Ist mir denn alles in der Liebe zuwider?

LORCHEN. Lassen Sie mich ausreden: so werden Sie hören, ob ich Ihnen Unrecht thue. Sie haben mich gewiß aus der besten Absicht gewählt, und ich glaube, daß ich Ihr Herz einigen von meinen Eigenschaften zu danken habe. Allein überlegen Sie wohl, ob nichts mehr, als die Liebe, an dieser Wahl Antheil hat? Der Verdruß, den Sie mit der Frau Richardinn gehabt, hat sich gewiß ohne Ihr Wissen mit in das Spiel gemengt. Sie schlug Ihnen Christianchen ab, und gleich darauf trugen Sie mir Ihr Herz an. Ich mache Ihnen keinen Vorwurf; ich will Ihnen auch Ihre Liebe zu mir nicht verdächtig machen. Ich will nicht sagen, daß sie zu geschwind entstanden ist. Nein, ich will es anders ausdrücken. Ich glaube nicht, daß ich so viel Reizungen besitze, daß ich in so kurzer Zeit mir Ihre Liebe zu eigen machen könnte. Gesetzt auch, daß Ihre Liebe zu mir noch so gegründet wäre: So bleibe ich doch bey meinem Vorsatze. Ich habe alles wohl überlegt. Ihr Herz gehöret niemanden, als Christianchen. Sie verdienet es, wo nicht mehr, doch eben so wohl, als ich. Sie hat es aus Liebe zu mir nicht annehmen wollen, und um mich glücklich zu machen, hat sie später glücklich werden wollen. Sie liebt Sie, ohne es zu wissen, und Sie können nach meinem Urtheile nicht glücklicher wählen, als bey Christianchen. Bleiben Sie also bey Ihrem ersten Entschlusse. Sie sind nicht unbeständig gegen Christianchen gewesen, denn Sie haben ihren Werth nicht genug gekannt. Ich begleite Christianchen nach Berlin. Sie lebt noch ein Jahr bey mir, ehe Sie sich mit ihr vermählen. Es steht bey Ihnen, ob Sie meinem Rathe folgen wollen, der die aufrichtigste Absicht zum Grunde hat. Genug, ich bin nicht mehr Ihre Braut, sondern Ihre gute Freundinn.

SIMON.   Liebste Eleonore, in welche Bestürzung setzen Sie mich? Ich weis nicht — — — Ist es denn nicht möglich, daß Sie mich lieben können?

LORCHEN.   Ich will Ihnen die Mühe nicht machen, mich weitläuftig zu widerlegen. Ich will Unrecht haben. Ich glaube, daß ich Sie beleidige, und daß Sie sich dergleichen fremden Antrag niemals vermuthet haben. Allein ich wiederhole es: Entweder Christianchen ist Ihre Braut, oder keine von uns beiden.

FERDINAND.   Ach Lorchen. Wozu bringen Sie Herr Simonen? Übereilen Sie sich doch nicht, ich bitte Sie.

LORCHEN.   Ich übereile mich nicht. Antworten Sie mir, mein lieber Herr Simon. Ist Christianchen Ihre Braut und soll ich mit ihr nach Berlin reisen?

SIMON.   Lassen Sie mich doch nur von meiner Bestürzung zu mir selber kommen. Sie verfahren gewiß zu strenge mit mir. Ich weis ja nicht, ob die unschuldige Christiane sich entschliessen kann — — — Also darf ich mir keine Hoffnung machen, Sie zu besitzen, meine Eleonore? Verdiene ich nicht länger, als etliche Augenblicke, von Ihnen geliebt zu werden? Bin ich denn in einem Traume, oder schlagen Sie mir wirklich Ihr Herz ab? Darf ich gar nicht mehr hoffen?

LORCHEN.   Nein. Sie dürfen nicht mehr hoffen. Beruhigen Sie sich, wenn ich Ihnen gestehe, daß es mir so sauer ankömmt, dieses zu sagen, als es Ihnen seyn kann, es anzuhören. Genug, ich opfere die Liebe der Freundschaft auf, mein Herz mag dawider sagen, was es will. Sie gehören Christianchen zu, und ich will mich vollkommen glücklich schätzen, wenn Sie dieses liebenswürdige Kind von meiner Hand annehmen. Sie liebt Sie gewiß; allein sie hat, aus Liebe zu mir, mich durch Sie glücklich machen, und sich selber vergessen wollen. Ich bin also nicht einmal so großmüthig, als

Christianchen. Was ich itzt thue, ist nur eine Belohnung, oder eine Erkenntlichkeit für die Freundschaft, die sie mir freywillig erwies. Erfüllen Sie meine Bitte, lieber Herr Simon, und nehmen Sie meine unschuldige Freundinn von mir an. Ich reise mit ihr nach Berlin, und es bleibet bey meinem Versprechen. Geben Sie diesen Abend Ihr Wort von sich, und verschieben Sie das Hochzeitfest noch ein Jahr. Ihre Ehe wird alsdann ein Beyspiel der besten Ehe seyn. Denken Sie nicht mehr an mich, sondern von diesem Augenblicke an, an Christianchen. Ich bitte Sie bey der Zuneigung, die Sie mir heute geschenkt haben, denn ich weis nichts kostbarers.

Simon. Ich kann nichts weiter sagen, als daß ich Christianchen von Ihrer Hand annehmen, und Ihre Großmuth, meine Eleonore, und mein Schicksal zeitlebens bewundern werde. Ach Herr Ferdinand, wer hätte diesen Ausgang vor einer Stunde vermuthet? Ich gehorche dem Verhängnisse und der Liebe. Christianchen sey zum andernmale meine Braut und auf ewig die meinige. Wird sie mich auch lieben? Wie unruhig ist ein Herz, wenn es liebt, und was ist gleichwohl süsser, als die unschuldige Liebe? Liebste Eleonore, glauben Sie wohl, daß Christianchen mich liebt?

Lorchen. Ja. Sie liebt Sie, Herr Simon, und ich freue mich über den glücklichen Ausgang Ihrer Liebe. Ich will mit Christianchen reden; verlassen Sie sich auf mich, und auf Ihren eignen Werth. Wie zufrieden will ich seyn, wenn ich Sie beide in dem Glücke sehe, das Sie verdienen, und wenn ich den süssen Gedanken mit mir herumtragen kann, daß ich zu diesem Vergnügen etwas beygetragen habe! Kommen Sie, wir wollen zur Frau Richardinn gehen. Sie wird diesen guten Erfolg mehr, als einmal, ihrem Gebete zuschreiben.

Ferdinand. Das heißt Großmuth! Das heißt Freundschaft! Wenn doch viel solche weltlichgesinnte Frauenzimmer in der Welt wären, wie Lorchen und Christianchen, und keine einzige so heilige Frau, wie meine Frau Muhme, die Betschwester. Lorchen, ich habe kein Kind. Sie sind meine Tochter. Nehmen Sie die fünftausend Thaler von Herr Simonen nicht an. Ich will Sie allein glücklich machen. Kommen Sie, meine liebe Tochter, wir wollen gehen. *Er nimmt sie bey der Hand, und sie küßt ihm die Hand.*

Lorchen *zu Simonen.* Erlauben Sie mir das Vergnügen, daß ich Sie zu Ihrer Braut führen darf. Das gute Kind wird recht erschrecken.

Ende des dritten und letzten Aufzugs.

DIE BETSCHWESTER.

Nach dem Innhalte einer Comödie, welche eben diesen Namen führet.

Die frömmste Frau in unsrer Stadt,
In Kleidern fromm, und fromm in Mienen,
Die stets den Mund voll Andacht hat;
Wird diese nicht ein Lied verdienen.

Wie lehrreich ist ihr Lebenslauf!
Kaum steht die fromme Frau von ihrem Lager auf;
Kaum tönt der Klang vom achten Stundenschlage:
So sucht sie das Gebet zu dem vorhandnen Tage.
Und ob sie gleich den Schritt in sechzig schon gethan:
So ruft sie doch den Herrn noch heut um Keuschheit an.
Und ob sie gleich noch nie sich satt gegessen:
So fleht sie doch um Mäßigkeit im Essen.
Und ob sie gleich auf alle Pfänder leiht;
So seufzt sie doch um Trost bey ihrer Dürftigkeit.

Welch redlich Herz! Welch heiliges Vertrauen!
Sie liest das Jahr hindurch die Bibel zweymal aus,
Und reißt dadurch ihr ganzes Haus
Auf ewig aus des Teufels Klauen.

Zwölf Lieder stimmt sie täglich an.
Wer kömmt? Ists nicht ein armer Mann?
Geh, Frecher! wills du sie vielleicht im Singen stören?
Nein, wenn sie singt, kann sie nicht hören.
Geh nur, und hungre, wie zuvor!
Sie hebt ihr Herz zu Gott empor;
Soll sie dieß Herz vom Himmel lenken,
Und itzt an einen Armen denken?

Sie singt, und trägt das Essen singend auf.
Sie ißt, und schmählt auf böser Zeiten Lauf;
Allein wer klopft schon wieder an die Thüre?
Ein armes Weib, die keinen Bissen Brodt —
»Geht, quält mich nicht mit eurer Noth,

»Wenn ich die Hand zum Munde führe.
»Nicht wahr, ihr singt und betet nicht?
»Seyd fromm und denkt an eure Pflicht:
»Der Herr vergißt die Seinen nicht.
»Wenn seht ihr mich denn betteln gehen?
»Allein man muß zu Gott auch brünstig schreyn und flehen!«

　　Doch ist die liebe fromme Frau
Nicht gar zu hart, nicht zu genau?
Wohnt nicht in ihr mehr Kaltsinn, als Erbarmen?
Nein, nein! Sie dient und hilft den Armen;
Sie bessert sie durch Vorwurf und Verweis,
Und weist sie zu Gebet und Fleiß;
Ist dieses nicht der Schrift Geheiß?
Sie dient ja gern mit ihren Gütern,
Allein nur redlichen Gemüthern.
Ist wohl ein frommes Weib in unsrer ganzen Stadt,
Das, in der Noth, bey ihr nicht Zuflucht hat?
Sie mag ihr auch die kleinste Zeitung bringen:
So eilt sie doch, dem Weibe beyzuspringen.

　　Ach ja! Beatens Herz ist willig und bereit,
Die Welt mag noch so viel an ihr zu tadeln finden.
Nicht nur den Lebenden nützt ihre Mildigkeit;
O nein! Sie weis sich auch die Todten zu verbinden.
Wenn wird ein Kind zur Gruft gebracht,
Um dessen Sarg ihr Kranz sich nicht verdient gemacht?
Wenn sprechen nicht die Leichengäste:
Beatens Kranz war doch der beste!
Welch schönes Crucifix! von wem wird dieses seyn?
Beate schickts, und wills dem Leichnam weihn.
Das fromme Weib! erlebt sie mein Erblassen:
So wird sie meinen Sarg gewiß versilbern lassen.

　　Sie kleidet Kanzel und Altar,
Und wird sie künftigs neue Jahr,
So sehr die Andern sie beneiden,
Zum drittenmale doch bekleiden.
Man wirft ihr vor, sie solls aus Ehrsucht thun;
Noch kann ihr mildes Herz nicht ruhn.
Wer wars, der itzt in die Collekte
Mit langsam schlauer Hand ein volles Briefchen steckte?
Beate wars, sie leiht dem Herrn,
Und was sie giebt, das giebt sie gern.
Was kann denn sie dafür, daß es die Leute sehen?

Beate! laß die Lästrer schmähen,
Und laß sie aus Verleumdung sprechen:
Du wollst die Allmacht nur bestechen,
Daß für den Wucher, den du treibst,
Du einstens ungestrafet bleibst.
Laß dich von andern spöttisch richten,
Als pflegtest du der Welt gern Laster anzudichten;
Als wäre dieß für dich die liebste Neuigkeit,
Wenn andern Noth und Unglück dräut;
Als hättest du nichts, als der Tugend Schein.
Schweigt, Spötter, schweigt! Dieß kann nicht seyn;
Denn betend steht sie auf, und singend schläft sie ein.

MATERIALIEN
ZUM VERSTÄNDNIS DES TEXTES.

Editionsbericht

Die *Betschwester* ist *Gellerts* erstes Lustspiel. Es erschien 1745 im
2. Stück des 2. Bandes der »Neuen Beyträge zum Vergnügen des
Verstandes und Witzes«, — der berühmten »Bremer Beiträge«. Noch
im gleichen Jahr erschien das Lustspiel auch selbständig. 1747 wurde
es erneut, zusammen mit dem »Loos in der Lotterie«, den »Zärtlichen
Schwestern« und dem Nachspiel »Die kranke Frau« veröffentlicht
in der Ausgabe der *Gellertschen* »Lustspiele«, die ihrerseits mehrere
Auflagen (und Nachdrucke) erlebte. Das Stück findet sich wieder in
den »Sämmtlichen Schriften«, Leipzig 1769—74, — der Ausgabe
letzter Hand, was die ersten Bände und damit die Lustspiele anbe-
langt. Alle folgenden *Gellert*-Ausgaben, die die *Betschwester* mit
berücksichtigen, insbesondere die mangels einer kritischen Edition
heute noch maßgebliche 10-bändige Ausgabe der »Sämmtlichen
Schriften« durch JULIUS LUDWIG KLEE, Leipzig 1839, gehen auf
diese Ausgabe von 1769 zurück[1]. Seit der Behrendschen Auswahl,
Berlin o. J. (nach 1910), sind größere *Gellert*-Ausgaben, die etwa
die *Betschwester* mit enthielten, nicht mehr zu verzeichnen. Auch ein
Neudruck innerhalb einer literarhistorischen Textsammlung, wie er
für die »Zärtlichen Schwestern« 1933 von FRITZ BRÜGGEMANN
besorgt wurde, ist der *Betschwester* nicht zuteil geworden.

Die vorliegende Ausgabe der *Betschwester* folgt der ersten Ver-
öffentlichung des Stückes in den »Bremer Beiträgen«. Sie bietet die
Dichtung damit in ihrem frischesten Zustand. Denn schon die »Lustspiele«-Fassung von 1747 weist gewisse Veränderungen von der
Hand des besorgten Autors auf; die Veränderungen nahmen sodann
von Auflage zu Auflage zu, und die Fassung der »Sämmtlichen
Schriften« zeigt das Stück an zahlreichen Stellen ängstlich gedämpft
und beschnitten. — Dafür einige Beispiele: In der Ausgabe von
1769 fehlt in I, 1 Ferdinands *Stets beten heisst nicht beten, und den
ganzen Tag beten ist so strafbar, als den ganzen Tag schlafen.* — Am Ende
von I, 4 ist auf den Passus verzichtet, in dem die Andacht der

---

[1] Nach der Klee'schen Ausgabe der »Sämmtlichen Schriften« von 1839
zitieren wir im Folgenden, abgesehen von der *Betschwester* selbst. S. S. =
Sämmtliche Schriften.

Betschwester als ein Vertrag mit Gott zur Vermehrung ihrer Kapitalien bezeichnet wird. Wendungen aus Bibel oder Katechismus im Part der Betschwester, wie: *Lass deine Rechte nicht wissen, was deine Linke thut* (II, 1) und: *Man muss förderlich und dienstlich seyn* (I, 2) sind getilgt, ebenso Äusserungen echter Frömmigkeit in ihrem Munde, etwa: *Und das Gebet verlässt niemanden. Wer an Gott denkt, an den denkt er wieder und giebt ihm gutes und die Fülle* (I, 5). — Die Anrufung Gottes durch die *Richardin*, z. B.: *Ach gütiger Gott, alles nach deinem heiligen Willen* (I, 6) oder auch nur die Interjektion *Ach lieber Gott* (I, 6), ja selbst auch nur die Nennung des Namens Gottes — wie übrigens auch (II, 4) des Teufels — ist in der Ausgabe von 1769 weitgehend vermieden. (Schon in der »Lustspiele«-Fassung von 1747 findet sich *Gott!* durch *Ach!* ersetzt (II, 5).) Es fehlt Lorchens *Sie setzt uns beide in die Ketzerhistorie* (I, 1); es fehlt die Formulierung der Betschwester, *Lorchens* Lebensart sei *unwiedergebohren* (III, 2).

Diese Änderungen und Streichungen sprechen für sich. Sie sind Zeugnis der religiösen Skrupel des Dichters, seiner Furcht, fromme Gefühle verletzen und echtem Gebetsleben zu nahe treten zu können, und sie weisen uns insgesamt auf ein eigentümliches Spannungsverhältnis des Zeit seines Lebens frommen und gläubigen *Gellert* zu seiner eigenen Dichtung. — Einige Wendungen übrigens sind offenbar auch als zu gewagt und frivol aus den späteren Auflagen entfernt worden, so die drastischen Vorhaltungen der *Richardin* gegenüber ihrer Tochter in III, 1: *Hättest du ihm doch lieber gleich alles eingeräumt ... Du wirst gewiß nicht Zeit genug zu einer Heerde kleiner Kinder kommen.*

Es kann kein Zweifel sein, daß das Lustspiel durch diese Änderungen und Beschneidungen an satirischer Komik und Farbigkeit eingebüßt hat, ist ihnen doch auch z. B. der Dialogpassus über die Teilnahme von Mops und Katze an der Andacht der Betschwester (I, 4) zum Opfer gefallen, ebenso wie ihre Scheltworte über die Geistlichen, die *immer so viele Kinder* haben (I, 5).

Unsere Ausgabe bringt nun das Stück in seiner ursprünglichen Form unverändert. Orthographie und Interpunktion wurden grundsätzlich beibehalten. Die nicht wenigen Druckfehler wurden stillschweigend beseitigt, wobei stets die »Lustspiele«-Ausgabe von 1747 und die Fassung der »Sämmtlichen Schriften« von 1769 zum Vergleich mit herangezogen wurden. Bei wechselnder Schreibung (die Vorlage schreibt z. B. *holen*, aber auch *hohlen*, — *größten*, aber auch *grösten*, — *Gedanken* und *Gedancken*, — *Gott* und *GOtt*) ist generell die neuere Form gewählt worden. Gelegentliche Abkürzungen wie *Jgfer., Hr., seel.* wurden aufgelöst. Im übrigen folgt die Schreibung getreu dem ersten Druck. Unsere Ausgabe bietet also beispielsweise: *gebohren, weis, müste, irrdisch, Mamma.* — Einige heute schwer verständliche Wörter und Begriffe sind am Schluß erklärt. — Im Anhang ist — zum Vergleich mit der epischen Behandlung des gleichen Stoffes — die ebenfalls *Die Betschwester* betitelte Verserzählung aus dem 1. Buch der »Fabeln und Erzählungen«[2] mitgeteilt.

Zur Entstehungsgeschichte

Über die Entstehung der *Betschwester* besitzen wir keine näheren Nachrichten. Die wenigen erhaltenen Briefe *Gellerts* aus den 40er Jahren erwähnen sie nicht. Von CHRISTIAN FELIX WEISSE hören wir indessen, *Gellert* habe seine Arbeit geheimgehalten, das fertige Stück sodann dem Kreis der »Bremer Beiträger« (zu dem 1745 GÄRTNER, J. A. CRAMER, J. A. SCHLEGEL, RABENER, EBERT, ZACHARIAE gehören) zur Beurteilung vorgelegt, wie das von allen Mitarbeitern der Zeitschrift erwartet wurde, und es »nach ihren Kritiken sehr sorgfältig« verbessert[3].

Gellert ist Anfang 1745 29-jährig, Magister der Philosophie, mit dem Recht, an der Universität Leipzig Vorlesungen abzuhalten; er liest über Poesie und Beredsamkeit. — Seit der Gründung der von J. J. SCHWABE herausgegebenen »Belustigungen des Verstandes und des Witzes« (1741) hatte er hier Fabeln und Verserzählungen veröffentlicht und sich bald mit ihnen einen Namen gemacht. Auch zwei Schäferspiele, »Das Band« und »Sylvia«, waren in den »Belustigungen« erschienen. — Mit unserem Stück versucht sich *Gellert* nun in der Komödie. Im Leipzig GOTTSCHEDS war das nichts Überraschendes. GOTTSCHEDS unermüdliche Forderungen nach deutschen Originalarbeiten für die Bühnen — »der deutschen Originale giebt es leider! noch so wenige, daß man kaum eine Woche lang gute deutsche Stücke würde spielen können«[4] — besassen auch in den vierziger Jahren noch ihr Gewicht. Die GOTTSCHEDIN selbst war mit Bearbeitungen und Originalstücken vorangegangen. Seit 1740 war GOTTSCHEDS »Deutsche Schaubühne« erschienen, eine sechsbändige Sammlung von Trauerspielen, Lustspielen und Schäferspielen — Übersetzungen und Originalstücken —, die den ästhetischen Anforderungen des Literaturreformators entsprachen und zugleich den Bühnen als ein Fundus spielbarer Stücke und jungen Autoren als Muster dienen sollten. — Auch mag die freundschaftliche Begegnung mit JOHANN ELIAS SCHLEGEL im Jahre 1741 in Leipzig *Gellerts* Interesse an dramatischer Produktion gefördert haben.

---

[2] S. S. Bd. I, S. 63ff.

[3] »Gottlieb Wilhelm Rabeners Briefe, von ihm selbst gesammelt.« Hrsg. von C. F. Weisse, Leipzig 1772, S. XXXIII.

[4] Gottsched in »Beyträge zur critischen Historie der deutschen Sprache, Poesie und Beredsamkeit«, Bd. 3/1734, S. 276.

Das gewählte Thema folgt den literarischen Absichten der Zeit. Das Lustspiel der Aufklärung liebt es, bestimmte »lasterhafte« Charaktere in den Mittelpunkt einer Handlung zu stellen und der Vernunft unter lehrhaftem Gelächter zum Siege zu verhelfen. »Die Komödie ist nichts anders, als die Nachahmung einer lasterhaften Handlung, die durch ihr lächerliches Wesen den Zuschauer belustigen, aber auch zugleich erbauen kann«, — sie wolle »das ungereimte Wesen in den menschlichen Handlungen ... satirisch vorstellen«, — so GOTTSCHEDS »Kritische Dichtkunst«[5]. Als Ahnherren einer solchen satirischen Eigenschaften- und Charakterkomödie dürfen MENANDER und TERENZ gelten. MOLIÈRE hatte die Gattung im 17. Jahrhundert mit Stücken wie »L'Avare«, »Le Misanthrope«, »Tartuffe«, »Le Malade imaginaire«, »Les Femmes savantes« zu klassischer Höhe geführt, der »dänische Molière«, HOLBERG, seit einiger Zeit auch in Leipzig kein Unbekannter, die Tradition im Sinne der Aufklärung fortgesetzt und GOTTSCHED ihr in den 30er Jahren Geltung verschafft. So war das deutsche Publikum gewöhnt, auf der Bühne gesellschaftliche Untugenden und sittliche Schwächen wie in einem Spiegel eingefangen, entlarvt und verspottet zu sehen. Nicht selten bezeichnet traditionsgemäß bereits der Titel des Stückes den satirischen Gegenstand des Spiels, die personifizierte Untugend. Die sächsische Komödie bietet zu etwa der gleichen Zeit neben der *Betschwester* Komödientitel wie »Der geschäftige Müßiggänger« (J. E. SCHLEGEL), »Der Unempfindliche« (A. G. UHLIG), »Der Hypochondrist« (QUISTORP), »Der Unerträgliche« (MYLIUS), »Die Klägliche« (G. FUCHS), »Der junge Gelehrte« (LESSING).

Die Zeit kennt den moralischen Typus mit bestimmten lasterhaften (oder tugendhaften) Eigenschaften übrigens nicht nur aus der Welt der Komödie. Sie kennt ihn aus den sogenannten moralischen Charakteren, wie sie in der Nachfolge LA BRUYÈRES und der englischen Character-Writers des 17. Jahrhunderts (die ihrerseits auf die antiken Charakterbilder des THEOPHRAST zurückgingen) die Moralischen Wochenschriften unermüdlich entwarfen und wie *Gellert* selbst sie später noch gezeichnet hat[6]. Sie kennt ihn aus RABENERS Satiren, aus Verserzählungen HAGEDORNS und wiederum *Gellerts*, mit denen ein moralisches Porträt elegant, mit Ironie und Witz neben die oft prosaisch-biederen moralischen »Schildereyen« der Wochenschriften gesetzt wurde, — man denke nur an die ebenfalls *Die Betschwester* betitelte Verserzählung *Gellerts*. Und so ist

[5] Johann Christoph Gottsched, »Versuch einer Critischen Dichtkunst...« vierte sehr vermehrte Aufl., Leipzig 1751, S. 643.

[6] z. B. »Der regelmäßige Müßiggänger«, »Der schwermüthige Tugendhafte«, »Der stolze Demüthige«. (S. S. VII, S. 183—227.)

denn der fleißig zur Kirche schreitende, vernehmlich betende und seufzende, säuerlich blickende Typus mit dem harten Herzen und der Praxis des Zinswuchers an Armen dem Leser der Moralischen Wochenschriften in männlicher und weiblicher Gestalt nicht unbekannt[7], — ebensowenig wie sein Gegenstück, der Freigeist und Religionsspötter. Das klassische Vorbild für diesen Typus des Scheinfrommen dürfte im »Onufrius« in den »Charactères« des LA BRUYÈRE (Kapitel »Von der Mode«) zu suchen sein. Für die Bühne, versteht sich, war MOLIÈRES »Tartuffe« das bestimmende Muster, zu dem sich unlängst (1737) die »Pietisterey im Fischbeinrocke« der GOTTSCHEDIN gesellt hatte. *Gellert* dürfte hier wie dort für seine Figur Anregungen empfangen haben. Inwieweit die gesellschaftliche Wirklichkeit seiner Zeit Züge zum Bild der *Richardin* beisteuerte, ist dagegen schwer auszumachen. Eine Rolle im sozialen Leben, die das Thema für ein zeitgenössisches Publikum erst interessant machte, hat der Scheinfromme sicherlich gespielt. Noch am Jahrhundertende gibt der Freiherr KNIGGE Ratschläge zum Umgang mit »Andächtlern, Heuchlern und abergläubischen Leuten« sowie »alten Coketten, Prüden, Spröden, Betschwestern, Gevatterinnen«[8].

Gattungsgeschichtliche Einordnung

Mit seinen Absichten, satirisch zu ergötzen und zu belehren, entspricht das Lustspiel *Gellerts* durchaus den ästhetischen, am französischen Klassizismus, an BOILEAU orientierten Forderungen GOTTSCHEDS. Aber die Entlarvung und Verspottung der Betschwester ist keineswegs die einzige bestimmende Intention des Stückes. Die *Richardin* ist zwar Hauptperson, dennoch kreist die Handlung nicht lediglich um sie, — sie führt an ihr vorbei, über sie hinaus: einige Szenen lassen sie fast vergessen, die letzten drei Auftritte bestehen ohne sie. Stattdessen erhalten andere Gestalten

---

[7] Siehe etwa »Spectator« — »Zuschauer«, Stücke 46 und 354, »Der Patriot« (1724—26) Stücke 58 und 139, »Die vernünftigen Tadlerinnen« (1725—26) Stück 19. Man vergleiche dazu ferner Abschnitte aus Rabeners »Trauerrede eines Wittwers auf den Tod seiner Frau« (1742) und »Eine Todtenliste, von Nicolaus Klim — Stine Frogerta« (1743). (Gottlieb Wilhelm Rabeners »Sämmtliche Werke«, neu hrsg. von Ernst Ortlepp, Stuttgart 1839, Bd. I, S. 163 ff., 239 ff.) Schließlich: »Des Herrn von Loen Sämmtliche kleine Schrifften«, hrsg. von J. C. Schneidern, Franckfurt und und Leipzig o. J., Bd. I (Moralische Schildereien) S. 121: »Die scheinheilige Frau«.

[8] »Über den Umgang mit Menschen«, von Adolph Freiherrn Knigge, in drey Theilen, 3. verb. u. verm. Aufl. Hannover 1790, I, 190 ff., II, 117 f.

neben der Betschwester Gewicht, und zwar ein Gewicht von solcher
Art, daß statt zu satirischem Gelächter das Publikum zu ganz
anderen Reaktionen veranlasst wird. Großmut, Selbstlosigkeit, auf-
opfernde Menschenliebe — im Handeln der beiden Mädchen —
appellieren statt an Witz und Kopf an das Herz und an das Gemüt.
Sympathie, innere Anteilnahme, Rührung bis zu Tränen machen
der Lachlust das Feld streitig. Die *Betschwester* ist mit diesen Zügen
das erste deutsche »rührende Lustspiel«! — Sicherlich kannte die
satirische Charakterkomödie alten Schlages vernünftige und ehrliche
Gestalten, aber sie blieben dort am Rande, — Gegenspieler, die der
Handlung zum gewünschten Ausgange verhalfen, ohne eigenes
inneres Gewicht. Die Großmut indessen, mit der ein unvermögendes,
alleinstehendes Mädchen, — *Lorchen* — auf Liebe und Hand eines
reichen und wohlmeinenden Mannes verzichtet zu Gunsten der
schönen und reichen, aber noch kindlich unerfahrenen Freundin,
Christianchen, — die Unschuld und Selbstlosigkeit, mit der diese
ihrerseits ihrem *Lorchen* zum Glück verhelfen möchte, und die edle
Bereitschaft, mit der *Simon* und *Ferdinand* solchen von der Tugend
gelenkten Fügungen folgen und bewiesene Großmut honorieren, —
all das lässt in diesem Spiel die rührenden, tugendhaften Elemente
den zu verlachenden lasterhaften die Waage halten; das ganze Ko-
mödienklima ist damit verändert.

Gellert ist auf diesem Wege fortgeschritten. Seine beiden anderen
Lustspiele gewähren dem tugendhaften Element noch mehr Raum.
Wetteifer an Edelmut, an Entsagungsbereitschaft und die wohlver-
diente Belohnung bewiesener Tugend bestimmen noch intensiver
die Szenen, während die komisch-satirischen Elemente zurückge-
drängt sind. In den »Zärtlichen Schwestern« vertreten nur noch
zwei Nebenpersonen das satirisch-komische Wesen. An der Ver-
änderung der Komödientitel lässt sich die Entwicklung ablesen:
Ist die Benennung des hier betrachteten Lustspiels noch von seinem
lasterhaften Gegenstand bestimmt, so verlangt das So wohl — Als
auch von Rührendem und Komischem mit »Das Loos in der
Lotterie« sozusagen ein neutrales Etikett, während mit den »Zärtlichen Schwestern« schließlich die Tugend gänzlich den Titel für
sich gewonnen hat.

Gellert ist sich des neuen Charakters seiner Lustspiele durchaus
bewußt: »Sollten einige«, so schreibt er in der Vorrede zur Ausgabe
der »Lustspiele« 1747, »in der Betschwester, dem Loose in der
Lotterie und den Zärtlichen Schwestern überhaupt tadeln, daß sie
eher mitleidige Tränen, als freudiges Gelächter erregten; so danke
ich ihnen zum Voraus für einen so schönen Vorwurf«[9].

---

[9] S. S. III, S. 6.

Das »rührende Lustspiel«, das mit der *Betschwester* in der deutschen
Literatur heimisch wird, ist Zeugnis einer höchst reizvollen Ver-
bindung der frühen Empfindsamkeit mit der Aufklärung. Als
»Comédie sérieuse« und unter der etwas spöttischen Bezeichnung
»Comédie larmoyante« hatte es, mit DESTOUCHES, MARIVAUX,
NIVELLE DE LA CHAUSSÉE, ja selbst VOLTAIRE als Autoren, sich in
den 30er Jahren bereits auf der französischen Bühne eingeführt.
Die neue Gattung war, zum Teil in Übersetzungen, in Deutschland
nicht unbemerkt geblieben; *Gellert* folgt ihr hier. (Die englische,
schon um 1710 sich entwickelnde »Sentimental comedy« —
DESTOUCHES lernte sie bei seinem Englandaufenthalt kennen — war
dagegen in Deutschland kaum bekannt; erst um 1750 wurden Stücke
wie »The Careless Husband« (CIBBER) und »The Conscious Lovers«
(STEELE) ins Deutsche übersetzt[10].

GOTTSCHED mußte den neuen Komödientyp mit Mißbehagen
betrachten, widersprach er doch mit seinen heterogenen Elementen,
der Mischung von Satirischem und Rührendem, von Komik und
ernstem Gefühl der klassizistischen Forderung nach klarer Schei-
dung der Gattungen, wonach Mitleid, Rührung und Tränen dem
Trauerspiel vorbehalten waren, das seinerseits als Figuren nur hoch-
gestelle Personen, nicht etwa Bürger, zuließ. In den späteren Auflagen seiner »Kritischen Dichtkunst« sah sich GOTTSCHED genötigt,
sich mit der neuen Komödienart zu befassen. Ganz tugendhafte
Komödien seien, so äußert er sich, wohl »eher bürgerliche, oder
adeliche Trauerspiele; oder gar Tragikomödien« zu nennen[11].

In die ästhetischen Auseinandersetzungen über die neue Gattung
— schon 1741 hatte der Annaberger Rektor ADAM DANIEL RICHTER
sich in einer Schrift[12] für eine tugendhafte Komödie eingesetzt —
hat *Gellert* selbst mit einer lateinischen Schrift »Pro comoedia
commovente« eingegriffen, mit der er 1751 zu seiner Antrittsvor-
lesung als a. o. Professor in Leipzig einlud. Sie ist von LESSING in
der »Theatralischen Bibliothek« im Rahmen seines Beitrags »Abhandlungen von dem weinerlichen[13] oder rührenden Lustspiele«

---

[10] vgl. dazu Jacob N. Beam, »Die ersten deutschen Übersetzungen
englischer Lustspiele im 18. Jahrhundert«, Hamburg und Leipzig 1906.
[11] Kritische Dichtkunst a. a. O., S. 644.
[12] »Regeln und Anmerkungen der lustigen Schaubühne«, von Adam
Daniel Richtern, Rect. Annamont. — Gottsched druckte die kleine Schrift
mit Kommentaren ab in den »Beyträgen zur critischen Historie der
deutschen Sprache, Poesie und Beredsamkeit«, Stück 28/1741, S. 572—604.
[13] »Weinerlich« für »larmoyant«; Gottsched hatte sogar von der »heu-
lenden« Komödie gesprochen. — Lessings Übersetzung findet sich in
allen großen Lessing-Ausgaben (Lachmann-Muncker, Petersen-Olshausen,
zuletzt Rilla). — Die Angabe bei Goedeke IV, 1³, S. 77, Nr. 13, eine Über-

übersetzt worden. *Gellert* tritt hier nachträglich, mehrere Jahre
nach der Entstehung seiner Lustspiele, theoretisch für die neue
Gattung ein. Die Komödie solle bessern und erbauen, und es sei
nicht einzusehen, warum sie neben tadelhaften Personen nicht auch
gute und liebenswürdige einführen und »die Gemüther der Zuhörer
durch ernsthaftere Rührungen vergnügen« dürfe. Eine Komödie sei
keineswegs zu tadeln, die »ausser der Freude, auch eine Art von
Gemüthsbewegung hervorbringen kann, welche zwar den Schein
der Traurigkeit hat, an und für sich selbst aber ungemein süße ist«.
Übrigens aber müsse »in Dingen, welche empfunden werden, und
deren Werth durch die Empfindung beurtheilet wird ... die
Stimme der Natur von größerm Nachdrucke seyn, als die Stimme
der Regeln«, — ein Satz, der beträchtlich an den Grundsätzen der
alten Poetik rüttelt.

Die Comoedia commovens, die rührende Komödie, hat in der
Theatergeschichte keine sonderliche Nachfolge gefunden; C. F.
WEISSE und CRONEGK bewegten sich hier in *Gellerts* Bahnen. Ent-
wicklungsgeschichtlich ist sie ein Gegenstück zum 1755 von
LESSING mit »Miß Sara Sampson« eingeführten »bürgerlichen
Trauerspiel«: Komödie und Tragödie kommen damit einander
nahe. Hier wie dort ist der Bürger zum Träger ernsthafter Handlung geworden; die Wirkungen, Hochachtung und Rührung einer-
seits, Furcht und Mitleid andrerseits, grenzen aneinander. — Stoff-
liche und motivische Elemente des rührenden Lustspiels haben fort-
gelebt im deutschen bürgerlichen Schauspiel, im Familiendrama
IFFLANDS, SCHRÖDERS, KOTZEBUES.

Zur Analyse des Stückes

Der Kreis der Spieler in der *Betschwester* ist mit 5 Personen recht
klein gehalten. Wir hören zwar von einer Köchin, von zwei *Clientinnen in der Andacht*, dem Bettler, der armen Priesterswitwe, vom
Bedienten *Simons* und von seinem ehemaligen Vormund, aber sie
erscheinen nicht auf der Bühne. *Gellert* beschränkt sich, vielleicht
eingedenk der Warnung GOTTSCHEDS vor zu grossem Aufgebot
an Figuren, auf das Notwendigste. Das nicht gerade turbulente
Spiel wird dadurch nicht bunter. Vor allem begibt sich *Gellert* damit
der dramaturgisch in der Komödiengeschichte so ergiebigen Assi-
stenz eines ganzen Standes, — der Bedienten. Harlekin, Hanswurst

setzung durch Gellert selbst finde sich in dessen »Sammlung vermischter
Schriften«, Leipzig 1756 u. ö., ist unzutreffend. — Zu Gellerts Vorstellungen von der Komödie ist noch wichtig der Brief 26 innerhalb seiner 1751
erschienenen Schrift »Briefe, nebst einer praktischen Abhandlung von
dem guten Geschmacke in Briefen«. (S. S. IV, S. 120—128).

und dergleichen »lustige Personen« in der Bedientenrolle waren seit
GOTTSCHED in einem Lustspiel nicht mehr zu dulden. GOTTSCHED
hatte strenge Verwahrung eingelegt gegen sie, die »durch bunte
Wämser, wunderliche Posituren und garstige Fratzen, den Pöbel
zum Gelächter reitzen«[14]. Aber auch auf einen faulen oder vorlauten
Peter oder eine pfiffige und respektlose Lisette, die oft genug dem
Gelächter des Publikums und zugleich der Anzettelung der nötigen
Intrigen in der Handlung dienlich waren, hat *Gellert* verzichtet.
Er folgt GOTTSCHEDS Anweisung, daß die Personen in der Komödie
»ordentliche Bürger oder doch Leute von mäßigem Stande«[15] sein
sollten und verweist — auch in den folgenden Lustspielen — die
einem wohlsituierten Bürger durchaus zukommenden Bedienten
hinter die Kulissen, — wohl um sie dem tugendhaften Wesen, das
sich jetzt entfalten soll, nicht zu nahe treten zu lassen. *Lorchen,
Christianchens weitläuftige Befreundinn,* wie das Personenverzeichnis
sagt, ist zwar arm, doch nach Herkunft und Bildung bürgerlich;
im Bedientenstande wäre ihre Rolle undenkbar.

Einige Bemerkungen zunächst zur Betschwester, der *Richardin.* Sie
ist eine Figur von ansehnlichem Zuschnitt; sie hat Statur. *Gellert*
hat keine Person von so hohen satirischen Graden wieder auf die
Bühne gestellt. Ihre falsche Frömmigkeit manifestiert sich in der
Kombination mit Hartherzigkeit. Die eifernde geistliche Intoleranz
gegenüber den Leuten von der *Calvinischen Religion*[16] (II, 1) und
ihre abergläubische Furcht vor *Anzeichen* diskreditieren ihr Glaubens-
leben für jedes aufgeklärte Publikum. Der Dichter hat an ihre Charakteristik im einzelnen viele hübsche Züge verwandt. Imponierend
ist z. B. ihre Vehemenz im Schelten und die Fähigkeit, vom Zanken
hurtig ins Jammern zu verfallen, und ihre robuste Inkonsequenz
erheischt Respekt. Wichtig vor allem ist jedoch: Diese Betschwester
heuchelt, anders als MOLIÈRES »Tartuffe«, nicht etwa bewußt und
raffiniert. Sie wird sich ihrer Unwahrhaftigkeit gar nicht bewußt.
Sie verstellt sich nicht; ihre Lasterhaftigkeit ist gleichsam Natur.
— Die Dominanten ihres Wesens sind Habgier und Geiz; ihre
Scheinfrömmigkeit erscheint oft nur als Funktion dieser Antriebe,

---

[14] Krit. Dichtk. a. a. O. 653.
[15] Von mäßigem Stande = von niederem Adel (Krit. Dichtk. a.a. o.S.647)
[16] Die Betschwester ist also in der lutherischen Welt angesiedelt. Lorchens Bemerkung, die Richardin halte ihren Reichtum für die sichtbare
Belohnung ihrer Frömmigkeit, sie bete und singe alle Stunden, weil sie
alle Stunden reicher werden wolle (I, 4), dürfte daher wohl kaum auf die
im Calvinismus verbreitete (von Max Weber untersuchte) Anschauung
zu beziehen sein, daß sich der Gnadenstand innerweltlich in geschäftli-
chem Erfolge äußere.

und wenn »Tartuffe« als falscher Devoter vor allem recht handgreif-
lich fleischlichen Gelüsten zu frönen sucht, so sind Geld und Besitz
der Hauptgegenstand ihrer Begierden; man kann in der Tat in der
Betschwester gewisse Motive des Molièreschen »Avare« wiederfinden.

Geld und Besitz sind für den Bürger stets von zentralem Interesse
gewesen. Auf ihnen ruht das Selbstbewußtsein, an ihnen hängt die
Existenz des Standes. So überrascht es nicht, daß wir in der bürgerlichen Welt des Lustspiels über die Vermögenslage aller Personen
eingehend informiert werden[17]. Auch entspricht es ganz dem bürgerlichen Denken und den bürgerlichen Gepflogenheiten der Zeit, wie
hier, mittels eines Brautwerbers die Ehe zwischen zwei Personen
zu Stande zu bringen, die sich kaum gesehen haben, über deren
finanzielle Verhältnisse aber beiderseits zufriedenstellende Erkundi-
gungen eingezogen sind. — Am Besitze festzuhalten und sich um
seine Vermehrung zu kümmern, ist denn auch für die Witwe *Richard*
zunächst nichts Unziemliches. Auch das Geldverleihen gegen
Pfänder hat an sich selbst nichts Anrüchiges, — man denke an
Gretchens Mutter im »Faust« (Vers 2786—87). Bürgerlich anstößig
ist erst die Übersteigerung von Sparsamkeit zu Geiz, die Ausartung
von Geschäftstüchtigkeit zu Wucher, besonders Bedürftigen gegenüber, und der Verzicht auf die christlich gebotene Mildtätigkeit.
Hiermit wird das Verhalten der *Richardin* lasterhaft.

Es ist nun bedeutsam, daß das Verhältnis der anderen Personen
des Lustspiels zu Geld und Besitz keineswegs das traditionell bürgerliche genannt werden kann. Ja, ihr Verhalten scheint allen bürgerlichen Erwartungen zu widersprechen. — *Wer ist denn der große
Mann, der ein Mädchen mit Armuth braucht? Er muß gewiß willens
seyn, ohnedem bald zum Lande hinaus zu laufen,* — anderer Vorstellungen
ist die *Richardin* nicht fähig. Der junge *Herr Simon* aber trägt gerade
einem solchen Mädchen seine Hand an, und dieses hinwiederum
ergreift nicht sein unverhofftes Glück mit beiden Händen, sondern
verzichtet großmütig auf die reiche Heirat. *Simon* ist überdies bereit,
bewiesene Freundschaft mit 5000 Talern zu belohnen und ausserdem
ein ansehnliches *Capital zur Verpflegung der Hausarmen* auszusetzen.
Ferdinand seinerseits wünscht am Ende, die Belohnung des Mädchens
zu übernehmen. Man ist selbstlos bereit zu tätiger Menschenliebe,
zum Opfer der eigenen Interessen, des eigenen Glücks. Reichtum
und Schönheit geben nicht den Ausschlag, sondern neue Werte,

---

[17] Nicht aber über ihren Beruf! Was Herr Richard bei Lebzeiten ge-
trieben hat, bleibt unerörtert, ebenso wie wir von Simon und Ferdinand
nur hören, daß sie begütert seien, nichts aber über ihr Gewerbe. Das
eigentliche bürgerliche Berufsleben bleibt im moralisch interessierten Lustspiel zu Gellerts Zeit zumeist noch außer Betracht, es sei denn, es handele
sich um Ständesatire. (Anders übrigens Holberg!)

innere Werte: Vernunft und Tugend und vor allem ein *gutes Herz*. —
In der Gesinnung dieser Personen tut sich eine neue Wertwelt auf,
das Tugendideal der Empfindsamkeit, (das sich, nebenbei bemerkt,
nur gewaltsam als eine ideologische Funktion der ökonomischen
Lage des Bürgertums im 18. Jahrhundert interpretieren läßt), und
von hier aus wird nun allerdings das Verhalten der *Richardin* doppelt
lasterhaft und verabscheuenswert. Man hat die Verquickung der
rührenden Handlungen mit der Betschwestersatire innerlich unbe-
gründet genannt[18]. Hier aber läßt sich ein gemeinsamer Bezug wohl
zeigen: Die Episoden mit dem kranken Bettler, mit der armen
Priesterswitwe sind geradezu Modellsituationen, in denen sich
empfindsame Tugend vorzüglich zu bewähren hat! Noch Jahr-
zehnte später wird ein Major von Tellheim mit dem Besuch der
armen Rittmeisterswitwe, seiner Schuldnerin, in eben diese Situation
gestellt werden und, obwohl selbst in argen Geldnöten, seine Großmut aufs edelste bezeugen. Das Verhältnis zum Geld ist, und das
kehrt in der Literatur der Zeit allenthalben wieder[19], recht eigentlich
der Maßstab der Tugend, der Prüfstein der neuen Moral. Die Betschwester vermag vor ihm nicht zu bestehen.

Lorchen verkörpert am reinsten das neue empfindsame Tugendideal. Sie ist damit der eigentliche Widerpart der Betschwester. Daß
sie jung ist, ist dabei wohl nicht zufällig; auch in den anderen Lustspielen *Gellerts* sind die tugendhaften und verständigen Gestalten
bezeichnenderweise jung, die törichten und lasterhaften zumeist alt.
Das Wahre und Rechte ist offenbar nicht mehr das Alte und Er-
probte, — es ist Sache der Jugend geworden. (Wenn wir richtig
sehen, spiegelt sich damit zum ersten Male in der deutschen Literatur
ein Generationsgegensatz, der zugleich weltanschaulicher Art ist
und in dem die junge Generation die rechten Prinzipien vertritt.)
Lorchen ist ein »modernes« Mädchen. Sie *geht, wie andre gehen*. Sie
hat sich die Haare verschneiden lassen (II, 1). Sie folgt den Forderungen der Mode, — nicht aus Eitelkeit, sondern weil es der »Wohl-
stand«, wie die Zeit es nennt, erfordert. Starr an alten überlebten
Moden festzuhalten, wie die Richardin es tut, ist nicht ein Zeichen
innerer Unabhängigkeit, — dafür hat die Zeit keinen Sinn, —
sondern ein Verstoß gegen die Regeln der sozialen Verkehrsord-
nung, gegen die Forderungen der bürgerlichen Gemeinschaft (ganz
abgesehen von der hier mitwirkenden Filzigkeit). »Eine altväterische
Tracht, in der wir allein hervortreten«, ist anstößig. Unschuldige

[18] Karl Holl, »Geschichte des deutschen Lustspiels«, Leipzig 1923, S. 162.
[19] vgl. dazu Hans-Richard Altenhain, »Geld und Geldeswert im 18. Jahrhundert«, Diss. Köln 1952, Masch.-Schr.

Moden sind zu beobachten. So lehrt *Gellert* später in seinen »Moralischen Vorlesungen«[20].

Und *Lorchen* liest in weltlichen Büchern. Auch in ihrer Lektüre unterscheiden sich die *Richardin* und *Lorchen* damit charakteristisch. Während jene mit Bibel und alten Gesang- und Gebetbüchern auskommt *(Ich bleibe bey den Büchern, an die ich mich von Jugend auf gewöhnt habe)* und selbst das Geschenk eines der berühmtesten Erbauungsbücher der Zeit, des Scriverschen »Seelenschatzes«, nicht zu würdigen weiß, liest *Lorchen* im »Zuschauer«[21] und sogar in Romanen. — Die Bedeutung des »Zuschauers« für die Verbreitung der Aufklärung in England wie auf dem Kontinent ist kaum hoch genug einzuschätzen; ganze Generationen haben sich an ihm gebildet, und auch im »Loos in der Lotterie« ist »Zuschauer«-Lektüre ein Ausweis von Vernunft und Tugend. — Daß *Lorchen* auch Romane liest und gar an *Christianchen* weiter gibt, ist für die *Richardin* ein Zeichen der Verworfenheit des Weltkinds. In der Tat war der Roman eine suspekte Gattung — bis zu RICHARDSON. »Pamela«, »Clarissa« und der »Grandison« lassen indessen um die Mitte des 18. Jahrhunderts Romanlektüre von einem anstößigen Unterfangen zu einer Art erbaulicher Pflicht selbst für junge Mädchen werden, zur Schule der Tugendhaftigkeit[22]. *Lorchen* ist mit der »Pamela« in diese Schule gegangen, und, wie ihr rührendes Verhalten beweist, mit Erfolg.

Den Gipfel sittlicher Idealität erklimmt *Lorchen* im großmütigen Verzicht auf ihren Bräutigam. *Ich opfere die Liebe der Freundschaft auf, mein Herz mag dawider sagen, was es will* (III, 11). Mit ganz ähnlichen Worten vermögen im »Leben der Schwedischen Gräfin von G.«, *Gellerts* 1747—48 erschienenem Roman, zwei Figuren, Caroline und Herr R., auf ihr Glück zugunsten anderer zu verzichten und Liebe in Freundschaft zurückzuverwandeln. Liebe ist in der Lage, sich unter dem Anruf der Tugend ihrer Ansprüche selbstlos zu begeben. Sie folgt in der frühen Empfindsamkeit dem moralischen Appell zur Großmut und Selbstverleugnung; der Gedanke an Eifer-

---

[20] 13. Vorlesung: »Von der Sorge für die Wohlanständigkeit und äußerliche Sittsamkeit«. (S. S. VI, 228).

[21] vgl. dazu die Wortklärungen.

[22] Gellert hat Richardson stets warm empfohlen und seine Begeisterung auch gelegentlich in Verse gefasst: »Wie lange war für dich, o Jugend, / die Liebe des Romans ein Gift! / Und sieh, ein Richardson, der Freund der wahren Tugend, / macht den Roman für dich, o Jugend, / zum Werke des Geschmacks, der Weisheit und der Tugend, / zum frömmsten Werke nach der Schrift.« Abgedruckt in: »Gellerts Briefe an Frl. Erdmuth von Schönfeld, nachmals Gräfin von Dahlen, aus den Jahren 1758—68«, Leipzig 1861, S. 112. — (Nicht in den S. S.!)

sucht hat hier gar keinen Raum. Liebe ist Äußerung eines fromm-
sittlichen Herzens, Reaktion vor allem auf bewiesene Tugend des
Partners, sie ist der Freundschaft verschwistert. Die rücksichtslos
fordernde Leidenschaft dagegen, das »existentielle« Verfallensein
der hochempfindsamen Wertherzeit, findet in der frühen Empfindsamkeit kaum literarische Gestaltung. Es wäre verwegener, und
das heißt für die Zeit so viel wie: unfrommer Anspruch auf eigene
Schicksalsgestaltung. In *Lorchen* aber triumphiert die sanftmütige
Tugend, die das glückliche, harmonische Miteinander der Menschen
garantiert und ihrerseits der Belohnung durch die Vorsehung gewiß
sein kann: *Lorchen* wird denn auch vom wohlhabenden *Herrn
Ferdinand* an Tochter statt angenommen, und das Publikum hat
Grund zu der Hoffnung, es werde sich in Berlin auch ihr die Aus-
sicht auf eine vorteilhafte Heirat eröffnen.

Neben *Lorchen* steht *Christianchen*, ein unschuldiges unerfahrenes
Mädchen, — als Gestalt *Gellerts* interessant und nicht eindeutig zu
beurteilen. Alle anderen Figuren des Stücks sind nach der Art der
Zeit Typen ohne innere Entwicklung und psychologische Ver-
tiefung, Träger bestimmter tugendhafter oder lasterhafter Eigenschaften, — nicht Individuen, sondern »moralische Charaktere«. Das
gilt auch, bei aller Kraft der Zeichnung und allem Anekdotischen,
für die *Richardin*. Sie führt zwar nicht mehr einen sprechenden
Namen, wie er z. B. in der »Pietisterey« der GOTTSCHEDIN noch
verwendet wird, — also etwa »Frau Seufzerin«, oder: »Frau Schein-
fromm«, (auch die übrigen Personen heißen nicht etwa mehr Tu-
gendreich oder Liebherz), — sie trägt einen individuellen Namen[23].
Gleichwohl bleibt sie ein starres Bild, ohne innere Bewegung, ohne
Entwicklung und ohne einen einzigen positiven Zug, — ein Ausbund von Lastern, so wie *Lorchen* ein Ausbund an Tugenden ist.
Anders dagegen *Christianchen*. Sie, die im ersten Akt noch kindlich-
einfältig, befangen, ungewandt vorgestellt wird, — eine »stumme
Schönheit«, um den Titel des möglicherweise hier angeregten
Lustspiels von JOHANN ELIAS SCHLEGEL zu gebrauchen —, sie zeigt
sich am Ende des Spiels aufgeweckter, umgänglicher und so liebenswürdig, daß *Simon* mit ihr zufrieden sein darf. Die vorgesehene
einjährige Erziehung durch *Lorchen* und Berlin scheint schon hier
nach wenigen Stunden erste Früchte getragen zu haben. Aus der
schüchternen, gutherzigen, ganz willenlosen Schönheit ist eine

---

[23] Daß der Name Richard auf den Reichtum der Richardin zielen solle,
wie Fritz Behrend in seiner Ausgabe meint, ist wohl kaum anzunehmen.
(»Gellerts Werke, Auswahl in zwei Teilen«, hrsg. und mit Einleitungen
u. Anmerkungen versehen von Fritz Behrend. Berlin o. J. (Bong), S. 364).

passable schöne Unschuld geworden. Ist damit von *Gellert* hier in der Tat eine innere »Entwicklung« *Christianchens* vorzustellen versucht worden? Oder handelt es sich nur — unter dem Zwang zur Beobachtung der Einheit der Zeit — um gewisse Inkonsequenzen in der Zeichnung dieser Gestalt? — In jedem Falle erscheint mit *Christianchen* eine neue Figur im deutschen Lustspiel, die, wenn wir recht sehen, allenfalls bereits im Schäferspiel zu finden war: das naive, sanfte, engelhaft-kindliche Mädchen, das zarte, unschuldig zur Liebe erblühende Geschöpf. *Gellerts* Frauen- und Mädchengestalten sind stets lebendiger und interessanter als seine männlichen Figuren ausgefallen[24]. Hier könnte man versucht sein, von ferne an die reizvollen Mädchengestalten MARIVAUX' zu denken.

Eine Bemerkung noch zu *Lorchens* Erziehungsplan für *Christianchen*; (an ihm ließen sich alle Vorstellungen *Gellerts* über Mädchenbildung entwickeln). Daß das Frauenzimmer aus der bisherigen Unwissenheit befreit und vernünftig und tugendhaft gemacht werden müsse, ist ein Hauptanliegen der Aufklärung und ständiges Thema der Moralischen Wochenschriften. *Lorchens* Vorschläge liegen ganz in ihrer Linie. *Ich will sie in vernünftige Gesellschaft bringen. Ich will mit ihr reden. Ich will ihr gute Bücher, vernünftige Romane vorlesen. Ich will ihr so viel Französisch lernen, als ich kann. Sie soll allemal über den andern Tag einen Brief ... schreiben* (I, 9). — *Ein vernünftiger Umgang und ein gutes Buch* (II, 3) vor allem sind die Heilmittel, um die Folgen einer *unachtsamen und sklavischen Erziehung* (I, 9) mit Nähen und Singen, mit Bibel und Gebetbuch wettzumachen. Statt mit dem alten Magister umzugehen, muß man in muntere Gesellschaft gebracht werden. *Christianchen* wird weltliche, und das heißt vor allem: schöngeistige Bücher in die Hand bekommen. Sie wird vielleicht außer dem »Zuschauer« und der »Pamela« HALLER und HAGEDORN, die »Bremer Beiträge« und die »Belustigungen« lesen dürfen (und 1747 wohl auch, als »vernünftigen Roman«, die »Schwedische Gräfin« und in den »Bremer Beiträgen« die ersten Gesänge des »Messias« ...). *Lorchen* wird ihr vielleicht eine kleine »Frauenzimmerbibliothek«, eine Leseliste, aufsetzen, wie die Moralischen Wochenschriften das emsig taten und wie *Gellert* selbst sie später für das FRÄULEIN VON SCHÖNFELD niedergeschrieben hat[25]. — Der bedeutungsvolle Vorgang der Ersetzung von Bibel und Erbauungsbuch durch schöngeistige, weltlich-erbauliche Literatur im 18. Jahrhundert und damit der Entstehung eines ganz neuen Lesepublikums, auf den HERBERT

---

[24] Dazu auch: S. Etta Schreiber, »The German woman in the age of the enlightenment, a study in the drama from Gottsched to Lessing«, New York 1948.
[25] »Gellerts Briefe an Frl. Erdmuth von Schönfeld« a. a. O., S. 33 ff.

SCHÖFFLER nachdrücklich hingewiesen hat[26], — er spiegelt sich hier ein wenig.

Die männlichen Figuren des Spiels bleiben verhältnismäßig blaß. *Ferdinand*, als kinderloser Ehemann etwas älter zu denken in der tugendhaften Partei, beweist in den ersten Szenen in der Beurteilung seiner Verwandten Vernunft und Rechtschaffenheit (insbesondere indem er auf pochende Todtenschmiede, schreiende Hühner und andere bedenkliche Anzeichen nichts gibt), und in der letzten Szene, indem er sich *Lorchens* annimmt, die geziemende Großmut. Er übernimmt dort die Rolle eines vor allem im späteren bürgerlichen Rührstück auftretenden bezeichnenden Typs, des »Wohltäters«, der bewiesene Tugend großherzig materiell zu belohnen hat, um dem eigentümlichen sittlichen Eudämonismus der Zeit Genüge zu tun; (das »or Virtue Rewarded« aus dem Titel der Richardsonsschen »Pamela« könnte bei allen diesen Stücken und so auch in *Gellerts* rührenden Lustspielen mit im Titel stehen).

Simon ist der junge Mann auf Freiersfüßen, ohne den kaum eine Komödie auskommt. Sein Verhalten, sein Hin und Her zwischen *Christianchen* und *Lorchen* ist für uns befremdlich, für die Zeitgenossen war es das indessen wohl weniger. Es ist sein Vormund, so will es *Gellert*, der ihn zu einer guten Partie nach den alten bürgerlichen Vorstellungen gedrängt hat. Daß er selbst aber bereits modern denkt, das begründet sein Zögern gegenüber *Christianchen*. *Wenn sie nur klug und artig wäre, so wollte ich sie allen in der Welt vorziehen, wenn sie auch nicht das geringste Vermögen hätte* (I, 8), — mit diesen Worten qualifiziert sich *Simon* als vernünftiger Freier. Mit seiner edelmütigen Reaktion auf *Lorchens* bewiesene Freundschaft — *ich belohne nicht den Ausgang der Sache, sondern Ihre edlen Absichten* (I, 9) — erweist er seine tugendhafte Gesinnung und seine Bereitschaft zum Wohltätertum. Auch der Heiratsantrag an *Lorchen* ist nach dem Vorangegangenen nichts Überraschendes; *Lorchens* edles Betragen nötigt ein empfindsames Herz förmlich zur Liebe. Und selbst die gehorsame Rückkehr zum — nunmehr reizender gewordenen — *Christianchen* zeugt für das zeitgenössische Publikum nicht so sehr von bedauerlicher Schwäche und Unbeständigkeit, als vielmehr wiederum: von Tugend. *Ich gehorche dem Verhängnisse und der Liebe* (III, 11). Das gehorsame Sich-Fügen in die Schickungen steht dem Tugendhaften an, nicht ein Aufbegehren. Auflehnung gegen die Fügungen wäre Verwegenheit, die das harmonische Glückseligkeitsideal der Aufklärung zerbräche. Es hieße an der Güte der Vorsehung und an der besten Weltordnung

zweifeln. *Simon* beweist mit der Rückkehr zu *Christianchen* die für
die 40er Jahre eigentümliche und auch in der »Schwedischen Gräfin«
mehrfach bewährte Tugend frommer Gelassenheit. Es ist die gleiche
Konflikte vermeidende Tugend, unter der sich Liebe in Freundschaft zurückzuverwandeln vermag. — Erst im Subjektivismus des
Sturm und Drang ist diese charakteristische Passivität der *Gellertzeit*
endgültig überwunden.

Über die theologische Bedeutung des tugendhaften Wesens, das
Simon wie *Ferdinand*, *Christianchen* wie *Lorchen* vertreten, wird unten
bei der Behandlung der Wirkungsgeschichte der *Betschwester* noch
etwas zu sagen sein. Zunächst jedoch ein paar Worte zur drama-
tischen Komposition. — Die von GOTTSCHED geforderten Einheiten
der Zeit und des Ortes sind in der *Betschwester* streng gewahrt; alles
spielt sich an einem Nachmittag und stets im selben Raum des
Hauses der *Richardin* ab. Von einer Einheit der Handlung indessen
wird man nur mit Mühe sprechen können. Die rührende Werbungs-
geschichte wäre auch ohne die Beteiligung der *Richardin* denkbar.
Die Betschwestersatire ihrerseits ist mit der Werbungshandlung
dramatisch nur locker verknüpft; in *Gellerts* gleichnamiger Verserzählung sind die tugendhaften Personen bezeichnenderweise nicht
vonnöten. Dem entspricht, daß die *Richardin* bei den rührenden
Szenen und am Schluß abwesend ist.

Vor allem aber mangelt es dem Stück an Aktion. Der Verfasser
ist, so spürt man, kein gewitzter Bühnenautor, er hat nie, wie etwa
J. CHR. KRÜGER, LESSING, WEISSE, Verbindung zu einer Schau-
spielergesellschaft gehabt. Es fehlt an Exposition (wir brauchen gar
nicht den Maßstab der berühmten »Tartuffe«-Exposition anzulegen),
an Verknüpfung, an Tempo, kurz an Spannung. »Das Stück würde
einen großen Beyfall verdienen«, heißt es schon in einer zeitgenössischen Besprechung[27],« wenn es den Titel eines Gespräches
führte. Es enthält gute Beschreibungen, Charactere und auch eine
gute Moral, nur das Hauptwerk der Comödie, der Nodus, fehlt«.
Das ist treffend. In der Tat geschieht die Charakteristik der Personen
zumeist nicht durch Handlung, sondern sie erfolgt direkt. Die Betschwester wird mehrere Szenen lang förmlich episch — nach Art
der moralischen Porträts der Wochenschriften — beschrieben.
Machen Sie mir doch einen kleinen Character von ihr, fordert *Ferdinand*
(I, 1). Und *Lorchen* erzählt . . . Viele Szenen bestehen nur aus Ge-
sprächen, Berichten, Erörterungen. Der Erzähler und Fabulierer
Gellert weiß gewiß recht hübsche Wendungen dabei einzuflechten,

---

27 »Freymüthige Nachrichten von Neuen Büchern und andern zur
Gelehrsamkeit gehörigen Sachen«, 3. Jahrg., Zürich 1746, S. 221.

aber das Parkett kommt kaum auf seine Kosten. — Bei Molière schwören Orgon und Madame Pernelle bis in die letzten Szenen auf den frommen Tartuffe (ähnlich blind ist zunächst Frau Glaubeleicht in der »Pietisterey«), — hier aber wissen alsbald sämtliche Beteiligten einschließlich des Publikums, woran sie mit der *Richardin* sind. In einer der ersten Repliken in der ersten Szene bereits erklärt *Ferdinand: Ihr stetes Beten und Singen bringt mich fast auf die Gedanken, daß sie nicht fromm ist, sondern nur fromm scheinen will* . . .

Viele Handlungen, die dramatische Möglichkeiten böten, sind verdeckt, — hinter die Kulissen verwiesen. So das Zusammentreffen mit dem Bettler, mit der armen Witwe, ja auch die bewegteste Szene, da *Simon* die Kaffetasse zerbrechen läßt! (Unser Titelkupfer zeigt damit eine Situation, der das Licht der Bühne verwehrt ist!)

Daß Possenhaftes, Verwechslungen, Vermummungen, Prügel, wie sie im Verein mit Zoten und Hahnreivergnügungen noch in den 20er Jahren bei Picander gepflegt wurden, hier nicht zu dulden waren, versteht sich. Aber *Gellert* scheint ängstlich fast jeden dramatisch-komischen Effekt, jede Situationskomik vermeiden zu wollen, — auf das Fehlen der hier so nützlichen Bedienten ist bereits hingewiesen. Auf Intrigen, mit der traditionellerweise in der Komödie die lasterhaften Personen bloßgestellt und überspielt werden, ist verzichtet. Nur *Lorchen* setzt, *Christianchen* und *Simon* zu vereinen, zu Vergleichbarem an, — aber bezeichnenderweise gerade nicht zu einer komischen, sondern sozusagen zu einer rührenden Intrige. — Ein Weiteres ist aus frommen Bedenken des Dichters zu erklären: Wir erleben die *Richardin* nicht in ihrer Betstube. Ihre ganze Betpraxis bleibt der Bühne fern. Niemals erscheint sie mit dem Gebetbuch; sie absolviert ihr Singepensum anderwärts. — »Sittlich schöne Züge und edle Gedanken enthalten seine Lustspiele alle, aber«, urteilt Flögel am Ausgang des 18. Jahrhunderts, »es mangelt die echte vis comica«[28]. Und *Gellert* selbst, in einem Brief, in dem er auf eine französische Kritik an der *Betschwester* eingeht: »Daß mehr Leben und Feuer darinne seyn könnte, oder sollte, gebe ich zu. Es ist mir auf dem Theater selbst so vorgekommen«[29].

Die Verknüpfung der einzelnen Szenen, die Motivierung der Auf- und Abgänge ist meist recht simpel. *Gellert* bemüht sich, möglichst nur zwei oder drei Personen auf der Bühne zu haben. Während eines Aktes darf die Szene — im Sinne Gottscheds — niemals leer sein, am Aktende müssen alle Personen sie verlassen. Und so werden denn mit Vorwänden wie diesen die Personen hin- und hergeschoben:

---

[28] Carl Heinrich Flögel, »Geschichte der komischen Litteratur«, Bd. IV, Liegnitz und Leipzig 1787, S. 323 ff.
[29] Brief an Moritz von Brühl, S. S. VIII, S. 164 f.

Lorchen, bleiben Sie doch indessen bey dem Herrn Vetter, daß ihm die Zeit nicht lang wird (I, 3), — *Lorchen, gehen Sie doch, und lassen Sie einen Caffee zurechte machen* (I, 5), — *Ich will geschwind gehen, und mein diamanten Kreuzchen erst umbinden* (*Christianchen* II, 3).

Prinzipiell ist das Stück dabei durchaus realistisch strukturiert, — es richtet sich, im Sinne der Gottschedschen Naturnachahmungslehre, auf die Wirklichkeit. Dazu gehört — für die Zeit keineswegs selbstverständlich — der Verzicht auf das Außergewöhnliche, Abenteuerliche, Spektakuläre, Ausländische, die Beschränkung auf die eigene zeitgenössische kleine bürgerliche Welt. Lessing hat darauf hingewiesen: »Ohnstreitig ist unter allen unsern komischen Schriftstellern Herr Gellert derjenige, dessen Stücke das meiste ursprünglich Deutsche haben. Es sind wahre Familiengemälde, in denen man sogleich zu Hause ist«[30]. Das bürgerliche Milieu ist mit sorgsamem Pinsel in vielen Zügen notiert. Man hört vom Marktgeld, von der Hühnerhaltung, vom Küchengeschirr, vom Nachmittagskaffee. Auch die örtlichen Verhältnisse sind angedeutet; eine ansehnliche Kirche, ein hochedler Rat, ein Gevatter Buchführer und ein Porcellangewölbe am Orte weisen auf eine mittlere oder größere Stadt; Berlin ist eine Reise entfernt. — Daß man sich in der Gegenwart befinde, erhellt für das zeitgenössische Publikum schon aus der Erwähnung der »Pamela« und des »Zuschauers«. — Vor allem aber in liebevoll ausgemalten Details, in der sorgsamen Schilderung einzelner Züge, im Anekdotischen bezeugt sich Realismus in der ganzen freundlichen Klarheit *Gellerts.*

Realistisch in der Intention darf auch der Dialog genannt werden. Er bedient sich — *Gellert* verzichtet im Sinne Gottscheds auf den von J. E. Schlegel für die Komödie empfohlenen Vers — der kultivierten, zuweilen etwas zeremoniös-umständlichen Umgangssprache des bürgerlichen Lebens der Zeit. Persönlich gefärbt zeigt sich dabei vor allem die Diktion der *Richardin*, von sehr kräftigen und zuweilen drastischen Farben in den zankenden Passagen, aber auch bei gemäßigterem Temperament. Charakteristisch ihre altväterisch-geistliche Redeweise mit ständig eingeflochtenen Redensarten und Sprüchen: *Undank, aller Laster Anfang und Fortgang; Ich will nicht richten; Das ist der Welt Lauf; Das Gebet folgt uns mit ins Grab; Wer der Kirche giebt, der leihet dem Herrn;* usw. — Lorchen weiß ihre Worte munter zu setzen. Starkes Gefühl äussert sich dabei indessen mehr in der Reflexion über dies Gefühl als unmittelbar in sprachlicher Bewegung: *Ich bin über diese unschuldige Aufrichtigkeit so gerührt, daß ich gehen muß . . . — Ich bin zu zärtlich gerührt, als daß ich viel reden könnte.* Immerhin läßt *Gellert Lorchen* in besonders be-

---

[30] »Hamburgische Dramaturgie«, Stück 22.

wegender Szene (II, 5) unvermittelt aus dem »Sie« gegenüber ihrer
Freundin ins intime »Du« fallen. — *Ferdinand* darf zuweilen ironisch
und sarkastisch werden und hat die Aufgabe, moralische Maximen
einzuflechten, etwa: *Das Gebot zu beten, schließt das Gebot der Liebe
und des Mitleidens nicht aus* (I, 2) oder: *Die Seele der Ehe ist die Gleichheit der Gemüther* (I, 8). — Alle tugendhaften Personen gebrauchen
fleißig das Vokabular der Empfindsamkeit, Modewörter wie: *Hochachtung, Herz, Vergnügen, Freundschaft, großmütig, edel, zärtlich, gerührt,
unschuldig, vollkommen, aufrichtig, zufrieden.*

Monologe und das Beiseite-Sprechen sind in der *Betschwester*,
GOTTSCHEDS eingedenk, vermieden. Der Dialog verzichtet auf
Wortspiele, Witze und jedes geistreiche Feuerwerk. Mag er uns
heute vielfach schleppend und glanzlos vorkommen, er hat, ver-
glichen mit dem platten, rohen, auch bei der GOTTSCHEDIN oft
derben Ton der früheren deutschen Lustspiele, die Bühnensprache
beweglicher, schmiegsamer, gefälliger werden lassen. Er vermag
recht lebendig zu werden: man fällt sich bisweilen ins Wort, man
unterbricht sich, Gedankenstriche kennzeichnen den Abbruch einer
Satzkonstruktion in der Erregung, an Interjektionen ist nicht gespart, und zuweilen beschleunigt eine Folge von kurzen Sätzen das
Tempo. Vor allem die Szenen, in denen die *Richardin* das barsche
Wort hat und wacker schilt, sind dialogisch lebhaft[31]. Die Schärfe
und Behendigkeit, das Auffangen und Parieren, das später den
LESSINGschen Dialog auszeichnet, ist zwar hier bei weitem nicht
erreicht, doch lässt sich selbst die spezifisch LESSINGsche Manier
der Stichwortaufnahme durch den Dialogpartner hier und da beobachten. (*Simon:* . . . *daß Sie* . . . *das redliche Mädchen versorgten.* —
Richardin: Das redliche Mädchen braucht nichts. (II, 1) — *Richardin:
Was würde die böse Welt davon sagen? Würde sie die Schuld nicht auf mich
schieben? — Ferdinand: Auf diese Art würde die böse Welt zum erstenmale wahr reden.* (III, 8)

Zur Wirkungsgeschichte

Ein sonderlicher Bühnenerfolg ist der *Betschwester*, wie sich denken
läßt, nicht beschieden gewesen; als bühnenwirksamer erwies sich das
»Loos in der Lotterie«. Immerhin hat die NEUBERIN schon 1745 die
Betschwester aufgeführt und noch 1770 ist sie von SCHUCH gespielt
worden. Die Koch'sche und die Schönemann'sche Truppe hatten
sie (die nun freilich auch wenig Aufwand an Personal und keinen
Dekorationswechsel erforderte) im Repertoire. Von SCHÖNEMANN

---

[31] Etwa in III, 1 und III, 8 (mit der Verwendung von Parallelismus,
Anapher und Aposiopese).

sind Aufführungen 1749, 50, 51, 54 und 56 in Breslau, Schwerin und Hamburg überliefert[32]. — Die Hauptfigur scheint sogar eine gewisse Popularität genossen zu haben: Die Wochenschrift »Der Jüngling« berichtet vom Besuch des Jünglings bei der Richardin, die sich nun modisch kleidet und dem Jüngling verliebte Augen macht[33]. Auch Übersetzungen des Stücks ins Französische (zweimal), Dänische, Polnische und Holländische[34] sind zu verzeichnen.

Die zeitgenössische Kritik fand sich meist mit den dramatisch-technischen Mängeln ab und wusste den gefälligen Dialog, die lehr-hafte gute Absicht und das rührende Wesen zu schätzen. »Was die besondre Einrichtung betrifft«, äussert sich zum Beispiel ALBRECHT HALLER in den »Göttingischen Zeitungen von Gelehrten Sachen«[35], »so sind wir nicht solche finstere Kunstrichter, die sich mehr über einem entdeckten Fehler als über hundert Schönheiten vergnügen. Wir ... sehen mit einer dankbaren Freude den Wachsthum des Deutschen Geschmacks an unserm Dichter«. — CHRISTIAN HEINRICH SCHMID in seiner »Chronologie des deutschen Theaters« (1775)[36] nennt rückblickend das Stück einen neuen Schritt zur Schöpfung des deutschen Lustspiels. »Wenn wir gleich seine (sc. *Gellerts*) Er-zählung von der Materie unterhaltender finden, als die Komödie, so gewann doch damals unser Theater durch sie. Besser gewählte, wahrer, reicher und edler ausgeführte Charaktere und Situationen, die diesen Namen verdienen, waren damals Vorzüge genug.« — C. F. WEISSE singt nach *Gellerts* Tode in seiner »Elegie«:

> »Dich, deutsches Lustspiel, sah mit Abscheu oder Gähnen
> Noch damals oft manch sittsam Herz;
> Dich lehrt er lächeln, dich die Freude sanfter Thränen,
> Dich Tugend und bescheidnen Scherz.
> Nun borgt es weiter nicht von Franzen oder Britten
> Den Körper zu der deutschen Tracht.
> Auf deutschen Bühnen sah man auch itzt deutsche Sitten.
> und hatt' auf eigne Fehler Acht«[37].

---

[32] Hans Devrient, »Johann Friedrich Schönemann und·seine Schau-spielergesellschaft«, Hamburg und Leipzig 1895.

[33] »Der Jüngling«, 2. Band, Leipzig 1748 (Stück 51 vom 13. 12. 1747).

[34] Das Stück erregte als »De schijnheilige vrouw« Anstoß. vgl. dazu W. J. Noordhoek, »Gellert und Holland, ein Beitrag zur Kenntnis der geistigen und literarischen Beziehungen zwischen Deutschland und Holland im 18. Jahrhundert«, Amsterdam 1928.

[35] zitiert nach: Albrecht von Haller, »Gedichte«, hrsg. von L. Hirzel, Frauenfeld 1882, S. CCCVIII.

[36] neu hrsg. von Paul Legband, Berlin 1902, S. 77.

[37] »Gellerts Sämmtliche Schriften«, Zehnter Theil, Leipzig 1774, S. 223 ff.: »Elegie bey dem Grabe Gellerts«.

Der Literarhistoriker aber darf das erste rührende deutsche Lustspiel getrost eine Wegmarke auf dem Weg zu »Minna von Barnhelm«
nennen.

Gellert selbst ist indessen seines Stückes nicht froh geworden. Was
er keineswegs beabsichtigt hatte: es erregte Mißverständnis und
Anstoß bei frommen Gemütern. — Zwar verspottet die *Betschwester*
nicht, wie die »Pietisterey« der GOTTSCHEDIN, eine ganze Frömmig-
keitsrichtung mit ihrem Konventikelwesen und der ihr eigenen
Sprache[38], sondern wendet sich gegen die falsche Frömmigkeit einzelner lasterhafter Personen; — sie verhöhnt keineswegs den Geist-
lichenstand in der derben und bissigen Weise J. CHR. KRÜGERS,
der die wollüstigen und habgierigen Prediger Muffel und Tempel-
stolz auch auf der Bühne beten und singen läßt[39], — um von der
bitterbösen Zeichnung orthodoxer Theologen in NICOLAIS Roman
»Das Leben und die Meinungen des Herrn Magister Sebaldus
Nothanker« (1773—76) nicht zu sprechen, — nichtsdestoweniger
musste *Gellert* Vorwürfe hinnehmen[40]. »Es ist schwer«, so heißt es
in der Besprechung, die die »Freymüthigen Nachrichten von neuen
Büchern« aus den »Franckfurtischen Gelehrten Zeitungen« ab-
druckten[41], »eine Bät-Schwester lächerlich zu machen, ohne die
Übung der Religion selbst anzutasten. Wir wollen nicht unter-
suchen, ob Herr M. Gellert dieses vorsichtig genug ausgeführet
habe. Mich dünkt, die Bät-Schwester rede zu viel mit Biblischen
Worten. Kluge werden sich hieran nicht stoßen. Allein der gemeine
Mann, der doch auch eine Comödie sehen will und soll, wird immer
im Zweifel bleiben, ob man die Frau Richardin oder den König
David habe lächerlich machen wollen«.

Gellert hat auf diese Bemerkungen[42] in der Vorrede zur »Lust-
spiele«-Ausgabe von 1747 ausführlich geantwortet. »Ich dächte,
dieses heftige Urtheil hätte ich nicht verdienet. Welcher gemeine
Mann, der die gesunde Vernunft besitzt, und einige Stellen aus der
Schrift weis, sollte auf diesen unseligen Zweifel verfallen können?
Sollte er niemals in der Schrift, aus der er die Andacht des Davids

---

[38] Einzig der später fortgelassene Terminus »unwiedergebohren« (III, 2)
gehört zum spezifisch pietistischen Wortschatz.

[39] »Die Geistlichen auf dem Lande, ein Lustspiel in drey Handlungen,
zu finden in der Franckfurter und Leipziger Michaelismesse 1743«.

[40] vgl. dazu auch das unmittelbar folgende Stück in den »Bremer Beiträgen« mit einem »Schreiben an den Verfasser der Betschwester« in
Alexandrinern.

[41] »Freymüthige Nachrichten« a. a. O.

[42] Nach Gellerts Angaben wurde sie von der Regensburger Gelehrten
Zeitung gemacht; diese hatte die betreffende Rezension offenbar ebenfalls
veröffentlicht.

kennt, sollte er da nicht auch von gewissen Leuten gelesen haben, welche den Schein der Religion hatten und ihre Kraft verleugneten? Welche lange Gebete machten, sauer aussahen, mit großer Strenge fasteten; kurz, welche die Religion in äusserlichen Dingen, in Geberden und Mienen, in Kleidern, in der Enthaltung von Speisen, in Gebetsformeln, in kläglichen Tönen, in gefalten Händen, in verzagten Schritten suchten, und bey ihrer heiligen Gestalt ein boshaft Herz hatten und behielten ... Sollte, sage ich, ein gemeiner Mann... noch zweifeln können, ob ich den König David, das heißt, die vernünftige Andacht eines frommen Herzens, oder die Betschwester, das heißt, die abergläubische Andacht eines ungebesserten und lieblosen Herzens, lächerlich machen wolle?«[43]

Die »Freymüthigen Nachrichten von neuen Büchern« selbst verwarfen das zunächst von ihnen abgedruckte Urteil in einer ausführlichen Verteidigung[44] des Stücks, und auch ALBRECHT HALLER sprang Gellert in seiner Rezension bei: »Ob es wohl etwas ungewöhnlich ist, von heiligen Dingen ganz ausführlich auf der Schaubühne zu handeln und den Mißbrauch zur Beschämung abzumahlen, den die Heucheley damit begeht, so ist doch die gute Absicht des Verfassers eine viel zu augenscheinliche, als daß die Betschwester im geringsten uns anstößig sein sollte«. — Gleichwohl ließ sein empfindliches Gewissen dem Dichter keine Ruhe; die ängstlichen Streichungen und Änderungen am Text im Laufe der Jahre bezeugen es. Ja Gellert wünschte schließlich, das Stück niemals geschrieben zu haben.

Mag sein, daß diese Bedenken mit Sanftmut und Kränklichkeit des älteren Gellert zusammenhängen, daß alte fromme Zweifel an der Zulässigkeit des Satirischen überhaupt eine gewisse Rolle spielten, — die eigentlichen Motive für des Dichters Abkehr von seinem Lustspiel sind damit wohl noch nicht bloßgelegt. Man darf vielleicht vermuten, daß sein zwiespältiges Verhältnis zu seiner Betschwester letztlich seine Wurzel in Antinomien im Innern des Dichters selbst habe. Vergegenwärtigen wir uns: Gellert ist offensichtlich dem Denken der Aufklärung verpflichtet, einem Denken, das (zu Gellerts Zeit in Deutschland) Vernunft und Offenbarung gleichberechtigt zu verbinden weiß, das, sich allmählich deistisch färbend, mit Vorliebe von der göttlichen Allmacht, der Vorsehung (statt von Gott und Christus) spricht und in der Religion vor allem ein Vehikel sieht, um den Menschen zu Tugend und Glückseligkeit zu führen. Der gleiche Gellert aber, Pfarrerssohn und Theologe, hält auf regel-

---

[43] S. S. III, 2 ff. — Gellert bezieht sich hier offensichtlich auf Matthäus 6, 1 ff.

[44] »Freymüthige Nachrichten« a. a. O. S. 276 ff.

mäßigen, sonntags mehrmaligen Kirchgang, auf Beichte und Buße und führt seit 1752 ein geistliches Tagebuch, — für uns ein bewegendes Zeugnis strenger Gewissenserforschung nach Art der pietistischen Diarien, ständigen Ringens um das rechte Gebet, um wahre Demut, und ein Spiegel der Zerknirschung und Sündenangst[45]! Ein Zweifel an der Vereinbarkeit des alten christlichen Glaubenslebens mit dem neuen Denken scheint sich bei *Gellert* nirgends zu melden. Seine Dichtungen, abgesehen von den »Geistlichen Oden und Liedern«, stehen ganz im Zeichen der aufklärerisch-empfindsamen Tendenzen. Am Stoff der *Betschwester* aber, möchten wir meinen, — an einer Thematik, die zur Besinnung auf das Wesen wahrer Frömmigkeit führen muss, mag *Gellert* am Ende etwas von der Fragwürdigkeit der neuen Positionen vor den alten christlichen Forderungen empfunden haben. Daß die Verspottung des schein-frommen Gebetslebens der *Richardin* der Neigung des Deismus entgegenkam, in jeglicher Gebetsübung, im Fasten, Einhalten von Festtagen, im Kirchgang leere Äusserlichkeiten zu sehen, die das Herz nicht beträfen, fällt dabei weniger ins Gewicht. Entscheidend aber ist, daß (woran kein Zeitgenosse Anstoß genommen zu haben scheint) in dieser Dichtung falscher Frömmigkeit nicht etwa echte christliche Frömmigkeit gegenübergestellt ist, sondern, in charakteristischer Vertauschung, Tugend. Die fromm-vorbildlichen Gestalten des Spiels, *Lorchen* an der Spitze, müssen sich nicht um das Heil ihrer Seele kümmern; die Frage nach der Erlösung von der Sünde, nach Gottes barmherziger Gnade, nach der Rechtfertigung, — dem eigentlichen Gegenstand christlichen Gebetslebens, christlicher Frömmigkeit, — diese Frage wird gar nicht relevant vor ihrem Bemühen um tätige Menschenliebe. *Wir einfältigen Leute sehen die Andacht für ein Mittel an, das uns in der Tugend stärker machen soll* (*Ferdinand* in I, 4). Vernünftiges Christentum erscheint in der *Betschwester* als fortgesetzte Ausübung tugendhafter Handlungen, — als praktizierte Ethik.

Damit spiegelt sich in *Gellerts* Lustspiel der für die Aufklärungszeit so bedeutsame Vorgang der Säkularisierung des Christlichen, in dessen Zeichen an die Stelle des Ringens um die (ewige) Seligkeit das Streben nach (irdischer) Glückseligkeit, an die Stelle von christlicher Nächstenliebe und Demut allgemeine Menschenliebe und Entsagungsbereitschaft, an die Stelle der Frömmigkeit mit einem Worte: Tugend tritt. Dem vernünftigen Christentum der Aufklärung geht es in dieser Entwicklung nicht mehr um die Heilstat Gottes, sondern um das Wohl aller Menschen. Die Theologie der

---

[45] Erhalten ist uns nur das Tagebuch von 1761: »Chr. F. Gellerts Tagebuch aus dem Jahre 1761«, 2. Aufl. Leipzig 1863.

Aufklärung[46] wird unversehens von der Verkündigung Gottes zur Erziehung, — moralischer Erziehung, die auch die schönen Wissenschaften einschließlich der Schaubühne — als moralischer Anstalt — in ihren Dienst nimmt. Die Abkehr von der Lektüre der Bibel und des Erbauungsbuches, von der oben die Rede war, gehört hierher. Christus, wenn seiner überhaupt noch gedacht wird, ist nicht mehr der Erlöser, sondern der Lehrer, das Vorbild an Weisheit und Tugend, ein Führer zur Vollkommenheit. Das Dogma dagegen ist für den vernünftigen Christen eine dürre Doktrin, Gegenstand unfruchtbarer Streitigkeiten von Orthodoxen. — Andacht, Gebet, so wird später Recha von LESSINGS »Nathan« erfahren, ist nichts, gut handeln ist alles[47].

Gellert steht mit seinen Lustspielen, seinem Roman, seinen »Moralischen Gedichten« und den »Moralischen Vorlesungen« mitten in dieser Entwicklung, die zur Humanitätsreligion der deutschen Klassik führen wird. Die *Betschwester* ist ein bemerkenswertes Dokument auf diesem Weg (der Schritt von *Lorchen* zur GOETHESCHEN Iphigenie ist so weit nicht). In der Spannung zu seinem Lustspiel aber könnte sich die Unruhe des Dichters über solche Entwicklung äussern. Ihr im Zeichen der Tugend vom alten Glauben abführendes Wesen mag ihm im Alter dunkel spürbar geworden sein.

Literatur (in Auswahl)

Über die Ausgaben der Werke und Briefe Gellerts sowie die »Sekundärliteratur« (bis 1915) unterrichtet KARL GOEDEKE, »Grundriß zur Geschichte der deutschen Dichtung«, 3. Auflage, hrsg. von E. GOETZE, Band 4, erste Abteilung, 1916 (unveränderter Neudruck Berlin 1955), S. 74—78 und S. 1105—06 (Nachträge).

Spezialuntersuchungen, Aufsätze oder Abhandlungen zur *Betschwester* liegen nicht vor.

AIKIN-SNEATH, BETSY: Comedy in Germany in the first half of the eighteenth century, Oxford 1936. (Guter Überblick über die deutsche Aufklärungskomödie.)

BEARE, MARY: Die Theorie der Komödie von Gottsched bis Jean Paul. Diss. Bonn 1927. (Behandelt die Ästhetik der Komödie für den hier interessierenden Zeitraum.)

BELOUIN, G.: De Gottsched à Lessing. Étude sur le commencement du théâtre moderne en Allemagne (1727—1760), Paris 1909. (Auch heute noch anregend, mit Horizont. Gute Quellenkenntnis.)

[46] vgl. dazu Karl Barth, »Die protestantische Theologie im 19. Jahrhundert. Ihre Vorgeschichte und ihre Geschichte«. 3. Aufl. Zürich 1960.
[47] Lessing, »Nathan der Weise«, I. Aufzug, 2. Szene.

BRÜGGEMANN, FRITZ: Gellerts Schwedische Gräfin, der Roman der Welt- und Lebensanschauung des vorsubjektivistischen Bürgertums. Eine entwicklungsgeschichtliche Analyse. Aachen 1925. (Geistesgeschichtlich wertvoll, auch zum Verständnis der Lustspiele beitragend.)

BRÜGGEMANN, FRITZ: (Einleitungen zu den einzelnen Bänden von) Deutsche Literatur, Sammlung literarischer Kunst- und Kulturdenkmäler in Entwicklungsreihen, hrsg. von Heinz Kindermann, Leipzig 1930 ff. Reihe Aufklärung. (Hier vor allem wertvoll die Einleitungen zu Bd. 5 mit dem Neudruck der »Schwedischen Gräfin« und Bd. 6 mit dem der »Zärtlichen Schwestern«.)

CAPT, LOUIS: Gellerts Lustspiele, Diss. Zürich 1949. (Brauchbar, jedoch gegenüber den ein halbes Jahrhundert älteren Arbeiten von Coym, Haynel und Dobmann nichts sonderlich Neues bietend.)

COYM, JOHANNES: Gellerts Lustspiele. Ein Beitrag zur Entwicklungsgeschichte des deutschen Lustspiels. Berlin 1899. (Nützliche philologische Untersuchungen im Zeichen des Positivismus.)

CREIZENACH, WILHELM: Zur Entstehungsgeschichte des deutschen Lustspiels, Halle 1879. (Kurze Skizze der Verhältnisse zur Zeit Gottscheds bis zum Ende der 30er Jahre.)

DOBMANN, THEODOR: Die Technik in Gellerts Lustspielen. Progr. Oberrealschule Freiburg i. Br. 1900/01, Freiburg 1901. (Brauchbar.)

FRIEDERICI, HANS: Das bürgerliche Lustspiel der Frühaufklärung (1736 bis 1750) unter besonderer Berücksichtigung seiner Anschauungen von der Gesellschaft, Halle 1957. (Interessiert sich vor allem für den sozialkritischen Gehalt der sächsischen Komödie. Das Lustspiel ist hier — etwas zu unbefangen — als getreuer Spiegel der zeitgenössischen gesellschaftlichen Wirklichkeit verstanden; es schildere die ökonomische und ideologische Lage des Bürgertums unter dem »Feudalabsolutismus«. Der Vf. fördert, auch wenn er mit den Kategorien »fortschrittlich« und »reaktionär« arbeitet, in zahlreichen Belegen interessantes Material zu Tage.)

HAYNEL, WOLDEMAR: Gellerts Lustspiele. Ein Beitrag zur deutschen Litteraturgeschichte des 18. Jahrhunderts. Emden und Borkum 1896. (Brauchbar. Deckt sich methodisch und in den Ergebnissen oft mit den Arbeiten von Coym und Dobmann.)

HOLL, KARL: Geschichte des deutschen Lustspiels, Leipzig 1923. (Sich zur Orientierung immer noch anbietend.)

HOLL, KARL: Weinerliches Lustspiel, (Artikel im) Reallexikon der deutschen Literaturgeschichte, Bd. III/1929, S. 500 ff. (Überblick mit Literaturangaben über die Gattung des rührenden Lustspiels. Der Artikel liegt in 2. Aufl. z. Zt. noch nicht vor.)

MAY, KURT: Das Weltbild in Gellerts Dichtung. Frankfurt a. M. 1928. (Die einzige umfassende Untersuchung zur Dichtung Gellerts, für jede nähere Beschäftigung mit Gellert unentbehrlich. Im Ansatz jedoch auch problematisch bei einem Werk, das (besonders bei den »Fabeln und Erzählungen«) im Gehalt noch stark von der Gattung und motivischen Traditionen bestimmt ist.

MUNCKER, FRANZ: (Einleitung zu) Bremer Beiträger, Berlin und Stuttgart
o. J. = Kürschners Deutsche Nationalliteratur Bd. 43. (Solide Ein-
führung in den Kreis der »Bremer Beiträger«, dem Gellert um 1745
angehört.)

SCHLENTHER, PAUL: Frau Gottsched und die bürgerliche Komödie. Ein
Kulturbild aus der Zopfzeit. Berlin 1886. (Ungemein lebendig und
anregend über die Verhältnisse vor dem Auftreten Gellerts.)

SCHMIDT, ERICH: Christian Fürchtegott Gellert, (Artikel in) Allgemeine
Deutsche Biographie, Bd. VIII/1878, S. 544—549. (Gute einführende
Informationen; gern nachsichtig auf den marklosen, mattherzigen
und dazu auch noch frommen Gellert herabblickend. — Diese Wer-
tung hat eine gewisse Schule gemacht.)

WETZEL, HANS: Das empfindsame Lustspiel der deutschen Frühaufklärung.
Diss. München 1956, (Masch. Schr.) (Verteidigt den Eigenwert des
deutschen Lustspiels der 40er Jahre; es sei in vieler Hinsicht von
der französischen Komödie unabhängig. Beschäftigt sich eingehend
vor allem mit den Lustspielen J. E. Schlegels, Gellerts und J. Chr.
Krügers.)

WITKOWSKI, GEORG: Geschichte des literarischen Lebens in Leipzig,
Leipzig und Berlin 1909. (Orientiert über das literarische Leipzig,
dem Gellert zugehört.)

Worterklärungen

Andrienne : »Der Französische Nahme eines langen, vorn herunter offenen
Frauenzimmerkleides. Er rühret von einem Schauspiele des Baron,
»L'Andrienne«, her, welches eine Nachahmung der» Andria« des Terenz
war, und 1703 zu Paris aufgeführt wurde, bey welcher Gelegenheit
die Schauspielerin Dancourt, welche die Andria vorstellte, diese neue
Kleidung erdachte. Im Deutschen heißt ein solches Kleid ein Schlepp-
kleid . . .« (Johann Christoph Adelung, Versuch eines vollständigen
grammatisch-kritischen Wörterbuches der Hochdeutschen Mundart.
Leipzig 1773 ff.)

Aufsatz, Porcellanaufsatz. »In engerer Bedeutung . . . verschiedene zu-
sammengehörige Stücke einer Art, welche zum Zierrathe auf Tische,
Commoden, Öfen, Kamine, Schränke u. s. f. gesetzt werden . . . So
hat man Aufsätze von Porcellan, Confitüren-Aufsätze u.s.f.«(Adelung)

Buchführer : »Eigentlich jemand, der Bücher zum Verkaufe herumführt,
dergleichen heute im Oberdeutschen noch häufig sind. Zuweilen gebraucht man dieses Wort auch für einen Buchhändler, obgleich nicht
ohne Widerspruch der letztern, welche diese Benennung für unan-
ständig halten«. (Adelung)

Fischbeinrock : »Ein durch Fischbein erweiterter und ausgesteifter Rock,
ein Reifrock, steifer Rock«. (Adelung)

Interessen : Zinsen.

Mahlschatz : »Dasjenige Geschenk, es sey nun an Gelde oder Kostbar-
keiten, welches zwey Personen bey der Verlobung einander zum

Unterpfand ihre Liebe und Treue einhändigen, der Brautschatz.«
(Adelung)

Muhme : »Der Mutter oder des Vaters Schwester; ingleichen eine Person
weiblichen Geschlechtes, welche mit einer andern Geschwisterkind
ist; und in noch weiterm Verstande eine jede nahe Seitenverwandte
weiblichen Geschlechts«. (Adelung)

Pamela : »Pamela, or Virtue Rewarded«, Samuel Richardsons erster be-
rühmter Roman. Er erschien 1740/41, die deutsche Übersetzung 1741.

Porcellangewölbe :»Gewölbe in engerer Bedeutung ein . . . zu Aufbehaltung
allerley Waaren bestimmter gewölbter Ort, daher in weiterm Verstande in manchen Städten oft ein jeder Kramladen, wenn er gleich
keine gewölbte Decke hat, ein Gewölbe genannt wird«. (Adelung)

Scrivers Seelenschatz : Christian Scriver, »Seelen-Schatz, darinnen von der
menschlichen Seele hohen Würde, tieffen und kläglichen Sünden-
Fall . . . erbaulich und tröstlich gehandelt wird«. Das dickleibige Erbauungsbuch erschien zuerst 1675 und ist noch im 19. Jahrhundert
wieder aufgelegt worden.

Seiger : »In den gemeinen Sprecharten einiger Gegenden, z. B. Meissens,
übliches Wort, eine jede Uhr zu bezeichnen, es sey nun eine Sanduhr,
oder eine Schlaguhr, eine Stubenuhr oder Taschenuhr«. (Adelung)

Steuer : Das Capital muß in die Steuer (II, 1) in den späteren Auflagen ersetzt
durch: *Das Capital muss ausgeliehen . . . werden.*

Tombackene Dressen : »Domback, Tomback, ein durch die Kunst gemachtes
Metall, welches . . . dem Golde nicht unähnlich siehet. Dresse, Tresse,
ein aus Gold- und Silberfäden gewebter Streifen in Gestalt eines
Bandes«. (Adelung)

Vorsicht : »Besonders in der dichterischen Schreibart, für Vorsehung von
Gott gebraucht«. (Adelung)

Zuschauer : »Der Zuschauer« ist die vollständige, vorwiegend von der
Gottschedin besorgte Übersetzung der berühmten englischen Zeitschrift »The Spectator« von Addison und Steele, des unerreichten
Vorbilds aller moralischen Wochenschriften. Der »Spectator« erschien
1711—12 in London, die 8-bändige Übersetzung 1739—43 in Leipzig.

INHALTSVERZEICHNIS

Text

Anhang

Materialien zum Verständnis des Textes

E. T. A. HOFFMANN · POETISCHE WERKE

MIT FEDERZEICHNUNGEN VON WALTER WELLENSTEIN

Oktav · Zwölf Bände · Ganzleinen

DAS WERK WIRD NUR GESCHLOSSEN ABGEGEBEN

Für Liebhaber wurde eine auf 100 Exemplare begrenzte numerierte und von Walter Wellenstein signierte bibliophile Ausgabe in Ganzleder hergestellt. Bei dieser Ausgabe erhöhen sich die Ganzleinenpreise jeweils um DM 24,— für den Band

WALTER DE GRUYTER & CO · BERLIN